JEUNESSE

Collection dirigée par
Anne-Marie Villeneuve

D0967146

L'Oiseau rouge

Du même auteur

La forêt aux mille et un périls (tome 3), éditions de la courte échelle,
   Montréal, 2006.
La forêt aux mille et un périls (tome 2), éditions de la courte échelle,
   Montréal, 2004.
La machination du Scorpion noir, éditions de la courte échelle, Montréal,
   2004.
La forêt aux mille et un périls, éditions de la courte échelle, Montréal,
   2003.
L'empire couleur sang, Hurtubise HMH, Montréal, 2002.
L'arrivée des Inactifs (version abrégée), Aschehoug A/S, Copenhague,
   2001.
La machine à rajeunir, éditions de la courte échelle, Montréal, 1999.
Un parfum de mystère, éditions de la courte échelle, Montréal, 1999.
Les chemins de Mirlande, éditions de la courte échelle, Montréal, 1998.
Les otages de la terreur, éditions de la courte échelle, Montréal, 1998.
Les prédateurs de l'ombre, éditions de la courte échelle, Montréal, 1997.
L'île du savant fou, éditions de la courte échelle, Montréal, 1996.
La Pénombre Jaune, éditions Pierre Tisseyre, Montréal, 1996.
La trahison du vampire, éditions de la courte échelle, Montréal, 1995.
Aux portes de l'horreur, éditions de la courte échelle, Montréal, 1994.
Le parc aux sortilèges, éditions de la courte échelle, Montréal, 1994.
Descente aux enfers, éditions de la courte échelle, Montréal, 1994.
Je viens du futur, éditions Pierre Tisseyre, Montréal, 1993.
L'arrivée des Inactifs, éditions de la courte échelle, Montréal, 1993.
Terminus cauchemar, éditions de la courte échelle, Montréal, 1991.
Les yeux d'Émeraude, éditions de la courte échelle, Montréal, 1991.
La nuit du vampire, éditions de la courte échelle, Montréal, 1990.
Le retour des Inactifs, éditions de la courte échelle, Montréal, 1990.
La révolte des Inactifs, éditions de la courte échelle, Montréal, 1990.
Le voyage dans le temps, éditions de la courte échelle, Montréal, 1989.
La vie est une bande dessinée, éditions Pierre Tisseyre, Montréal, 1989.
L'idole des Inactifs, éditions de la courte échelle, Montréal, 1989.
Les prisonniers du zoo, éditions de la courte échelle, Montréal, 1988.
Les géants de Blizzard, éditions de la courte échelle, Montréal, 1985.
Les parallèles célestes, Hurtubise HMH, Montréal, 1983.

L'Oiseau rouge

DENIS CÔTÉ

QUÉBEC AMÉRIQUE Jeunesse

Catalogage avant publication de Bibliothèque et Archives nationales
du Québec et Bibliothèque et Archives Canada

Côté, Denis
L'oiseau rouge
(Titan ; 78)
D'après Traque dans la neige. Paris : Albin Michel jeunesse, 1999.
Pour les jeunes.
ISBN 978-2-7644-0605-2
I. Côté, Denis. Traque dans la neige. II. Titre.
III. Collection: Titan jeunesse ; 78.
PS8555.O767O47 2008   jC843'.54   C2007-942084-2
PS9555.O767O47 2008

 **Conseil des Arts
du Canada**   **Canada Council
for the Arts**

Nous reconnaissons l'aide financière du gouvernement du Canada
par l'entremise du Programme d'aide au développement de l'industrie
de l'édition (PADIÉ) pour nos activités d'édition.

Gouvernement du Québec – Programme de crédit d'impôt pour
l'édition de livres – Gestion SODEC.

Les Éditions Québec Amérique bénéficient du programme de subvention
globale du Conseil des Arts du Canada. Elles tiennent également à
remercier la SODEC pour son appui financier.

L'Oiseau rouge est une nouvelle version, entièrement repensée et
réécrite, du roman jeunesse *Traque dans la neige*, publié en jan-
vier 2000 par Denis Côté dans la collection Le Furet enquête,
éditions Albin Michel (France).

Québec Amérique
329, rue de la Commune Ouest, 3e étage
Montréal (Québec) H2Y 2E1
Téléphone : 514 499-3000, télécopieur : 514 499-3010

Dépôt légal : 1er trimestre 2008
Bibliothèque nationale du Québec
Bibliothèque nationale du Canada

Révision linguistique : Annie Pronovost et Diane-Monique Daviau
Mise en pages : André Vallée – Atelier typo Jane
Conception graphique : Louis Beaudoin

Imprimé au Canada

Je vois, je vois
Le roc résolu de l'espoir
Farouche envol de l'oiseau rouge en moi

L'oiseau rouge
Paroles et musique : Pierre Flynn
©1975 Les Productions Hélios
©1995 Les éditions de la Maudite Machine enr.
©2006 La Maudite Machine/Les disques
Audiogramme inc.

1

L'oiseau rouge fit irruption dans mon existence par une nuit d'hiver, en un lieu isolé
où rien n'arrive jamais.

Mon premier souvenir des événements
remonte à cette exclamation de mon père :

— J'ai tellement mangé que le ragoût me
sort par les oreilles !

Je me rappelle aussi la réplique de sa
conjointe :

— Tu as surtout tellement bu !

La conjointe en question, je m'empresse
de le préciser, était un peu beaucoup ma seule
et unique vraie mère.

Il m'était facile d'imaginer Hélène sur-
veillant la petite route forestière avec autant
de vigilance que papa. Lorsque Serge négocia

une courbe sans relâcher l'accélérateur, elle rugit :

— Hé ! Qu'est-ce qui te prend ? Tu veux nous fracasser contre un arbre ? Ralentis ! Mais ralentis, voyons !

— Voilà, voilà, ma chérie, mon amour... Tes désirs sont des ordres pour l'énamouré que je suis...

Ma mère grogna un juron avant de rétorquer, sur le même ton furieux :

— Tu as vu la neige sur la chaussée ? Et il fait noir comme chez le loup, tu en es conscient ? Bon, arrête-toi et passe-moi le volant, j'en ai assez !

— L'homme de ta vie en a vu bien d'autres, ma déesse. Et puis, dans le cas improbable où j'aurais envie de nous aplatir, mon VR s'y opposerait. Combien de fois te l'ai-je dit ? Ce n'est pas un véhicule récréatif, c'est un être pensant. À la place du moteur, il a un cœur. À la place des phares, il a des yeux.

— Et à la place du cerveau, qu'est-ce qu'il a ? Le vide intersidéral, comme toi ?

Papa ne put s'empêcher de rire à cette repartie. Moi, je souris malgré l'hébétude qui me soudait les paupières.

Le ping-pong verbal entre Serge et Hélène durait depuis notre départ de Saint-Casimir.

Affalé sur le divan-lit du fourgon, j'avais écouté leurs échanges par l'ouverture de la porte coulissante. Pas un mot n'était sorti de ma bouche. J'étais trop engourdi, et trop pompette. Au cours du souper, mes parents avaient laissé monsieur et madame Hamel remplir mon verre de vin chaque fois qu'il était vide.

Je n'avais pas l'habitude de boire, mais Serge avait dit qu'il fallait fêter la fin de son contrat. En guise d'accord, Hélène l'avait gratifié d'une moue. Résultat, j'expérimentais une sensation qui n'était pas sans évoquer le mal de mer. De mon point de vue, les courbes, dénivellations et nids-de-poule de cette route n'avaient rien à envier à l'océan démonté.

Pour sa part, ma seule et unique vraie mère avait à peine trempé les lèvres dans le liquide pourpre. Il fallait bien, n'est-ce pas, que l'un des deux adultes garde toute sa tête, compte tenu de l'obscurité et de la distance qui séparait l'érablière de la ville de Québec. Que mon père ait tenu à conduire en dépit de sa légère ébriété, cela me dérangeait un peu. Par contre, sa compagne avait déclaré qu'elle lui arracherait le volant s'il ne tenait pas le coup. Dans l'état où j'étais, cette menace avait suffi pour me rassurer.

Soudain, Hélène poussa un cri :

— Arrête-toi, Serge ! Tu as vu ? Il y a quelqu'un là-bas !

— Un auto-stoppeur, ici ? s'étonna mon père en ralentissant. Sa voiture doit être en panne.

La lourdeur de mes paupières ne résista pas à ma curiosité. Je me levai et me traînai jusqu'à la porte coulissante, que j'ouvris toute grande. Du seuil de la cabine, je plongeai mon regard à travers le pare-brise.

Tout d'abord, la lumière de nos phares, reflétée par la neige amoncelée sur les accotements, me transperça les yeux. Puis, comme l'autocaravane bifurquait vers la droite pour se garer, une tache rouge se démarqua de l'ensemble immaculé, telle une goutte de sang sur une chemise blanche.

— Il est couché sur la neige ! lança Hélène. Ma foi, il est évanoui !

Elle ouvrit sa portière et se précipita vers le corps étendu.

— C'est une femme ! corrigea-t-elle. Une jeune femme ! Par bonheur, elle est vivante !

Je mis pied à terre. Toutes dents dehors, le froid s'attaqua à mon nez, à mes oreilles, à mes doigts. Je ramenai sur ma tête le capuchon de mon parka et fourrai les mains dans mes poches.

Je m'approchai du trio que composaient mes parents accroupis et la femme inconsciente. Dès que je vis la chevelure rousse qui s'étalait en cercle sur la neige, le mal de mer me quitta. Rien n'existait plus, sauf cette personne qui gisait là, dans la nuit glaciale, à quarante kilomètres de toute ville. L'avait-on agressée ? Violée ?

Quelques pas de plus et je pus distinguer son visage, d'un blanc mat constellé de taches de rousseur. Le choc, cette fois, fut encore plus grand. On aurait dit qu'un sorcier avait claqué des doigts et que j'étais tombé en transe. Cette peau crémeuse, ces taches de rousseur, ces cils baissés, cette chevelure de feu m'hypnotisaient.

Jamais je n'avais éprouvé pareille émotion. Cela faisait mal, comme si une bête inconnue et sauvage s'était mise à trépigner en moi.

Je me penchai à mon tour au-dessus de la jeune femme.

— Mon sac, dit-elle sans ouvrir les yeux. Où est... mon... sac ?

Sa prononciation était mauvaise, à cause de sa faiblesse ou du froid qui ankylosait ses lèvres.

Je promenai mon regard aux alentours. Dans le halo projeté par les phares du véhicule, il y avait d'innombrables sapins alignés, beaucoup de neige, quelques traces de pas. Mais rien qui ressemblait à un sac. Aucun indice ne suggérait non plus qu'une voiture en panne se trouvait à proximité.

Lorsque je reportai mon attention sur la jeune femme, mon cœur bondit dans ma poitrine. Elle me regardait ! Yeux gris, bouche entrouverte, expression effrayée. J'eus envie de me baisser davantage, de lui souffler à l'oreille que tout irait bien désormais, que je m'occuperais d'elle, qu'elle n'aurait plus jamais à s'inquiéter. En même temps, une impulsion contraire me commandait de prendre mes jambes à mon cou et de fuir aussi loin que l'île de Pâques.

— Elle est blessée, chuchota Hélène. Regardez !

Une large tache rouge foncé, en effet, souillait son jean au niveau de la cuisse gauche.

La jeune femme essaya de se mouvoir.

— Mon sac, répéta-t-elle.

— Ne bougez pas. On va vous hisser dans notre véhicule et vous transporter à l'hôpital. Ne craignez rien.

— Pas à l'hôp... Non, s'il vous... pl...

Elle perdit conscience sans avoir achevé sa phrase.

Je me sentais idiot à me tenir là, bras ballants, aussi vain qu'un chirurgien manchot. Pour cette fille, j'aurais voulu accomplir un acte grandiose, quelque geste romantique et impossible. La soulever dans mes bras. La déposer dans la coque de ma fusée. Filer à pleins jets vers une galaxie diffusant les ondes qui la guériraient.

Pour cette fille, ai-je écrit. Car cette belle personne aux cheveux roux et à la peau blafarde était très jeune. Selon mon estimation, elle avait dix-huit ans au maximum.

J'observai Serge et Hélène tandis qu'ils la portaient jusqu'à la caravane. Son sac perdu me revint alors en mémoire.

Hors de la zone éclairée, je trébuchai sur quelque chose de massif. En tâtant l'objet, je compris que c'était, non pas un sac à main, mais un fourre-tout à bandoulière, assez lourd.

Revenu dans la lumière, je ne pus résister à la tentation de l'ouvrir. Je n'en crus pas mes yeux en voyant ce qui émergeait du fouillis. Un pistolet mitrailleur !

C'était une arme impressionnante en dépit de sa petite taille : compacte, légère, noire comme du charbon. Mes recherches ultérieures m'apprirent qu'il s'agissait d'un Micro Uzi, dont la cadence de tir atteint 1 200 coups à la minute.

Je faillis hurler, alerter mes parents. Mais l'image de la jeune fille, de son visage effrayé, de ses taches de rousseur, du sang sur son jean, me conseilla le silence.

Je continuai mon exploration. Au fond du sac, mes doigts rencontrèrent les formes rectangulaires de nombreux chargeurs. J'y trouvai aussi un carnet, ainsi qu'une pile de feuilles que j'examinai à la lumière des phares. Elles étaient toutes identiques. Imprimées au laser, me sembla-t-il.

En filigrane de chacune se profilait la silhouette d'un vieux paysan, portant fusil de chasse, tuque et mocassins. L'en-tête était composé de trois bandes horizontales, une verte, une blanche, une rouge. Dans la première, on lisait : *Front de libération du Québec*. Dans la deuxième : *Cellule Oiseau Rouge*. Dans la troisième : *Communiqué numéro...*, avec un vide à la place du chiffre.

Aucun texte sous les en-têtes, mais cela suffisait à faire peur. Sous mes vêtements, je transpirais comme après vingt kilomètres en ski de fond.

Qu'est-ce que c'était que cette histoire ? Mais qu'est-ce que c'était que cette sombre et invraisemblable histoire ?

2

Je replongeai la main à l'intérieur du fourre-
tout. Mes doigts se refermèrent sur un objet
rond et dur, de la taille d'un pamplemousse,
que j'élevai à la hauteur de mes yeux.

Une boule de cristal. Semblable à celles
qu'utilisent les diseurs de bonne aventure ou les
magiciens de pacotille. Pas tout à fait semblable, en réalité, car une espèce de statuette
était emprisonnée dans le verre de celle-là.

La petite sculpture représentait un oiseau
aux ailes à demi déployées. Son bec allongé,
ses lignes harmonieuses, ses proportions sug-
géraient un oiseau de mer. Il était de couleur
rouge, cependant. Ce détail me ramena à
l'en-tête des feuilles imprimées, où on lisait :
Cellule Oiseau Rouge.

La boule de cristal, ainsi que l'oiseau à l'intérieur, provoqua chez moi une fascination immédiate. Longtemps je restai immobile à l'examiner, la tournant et la retournant entre mes doigts engourdis, admirant les effets qu'y produisait la lumière des phares.

Était-ce le fruit de mon imagination ? Ce n'était pas une babiole quelconque que je contemplais, c'était un monde. Un monde enchanté, vivant et somptueux, rempli de joie, de fantasmagorie et de mystère. Si le Pays des Merveilles de la petite Alice existait quelque part, c'était là-dedans. Si les contes des Mille et Une Nuits provenaient d'un lieu réel, c'était de ce monde-là. Tous les rêves de l'enfance logeaient dans cette boule de cristal.

Comment pouvait-on transporter un tel objet dans ses bagages à côté d'un pistolet mitrailleur ?

— Jean-Olivier ! appela mon père. Tu veux attraper ton coup de mort ou quoi ?

Sa voix me tira de l'enchantement dans lequel j'étais plongé. Aussi honteux que si j'avais commis un crime, j'enfouis feuilles et carnet sous mon parka et glissai la boule au fond de ma poche. Je lançai le fourre-tout au loin, en direction des arbres.

— Monte avec moi dans la cabine, fit Serge. Hélène restera derrière avec notre blessée.

J'aurais préféré veiller moi-même sur la jeune fille. Pour la regarder autant que je le voulais, bien sûr. La trouver jolie en dépit de son état. Mais aussi – pourquoi pas ? – pour lui soutirer des éclaircissements au cas où elle reprendrait conscience. Car il y avait de quoi s'interroger. Le Front de libération du Québec ! Du papier à en-tête, une arme, des chargeurs ! Et d'où venait sa blessure à la cuisse ?

Ma propre attitude semait encore davantage de confusion en moi. Pourquoi ces cachotteries ? Qu'est-ce qui me poussait à dissimuler mes découvertes aux deux personnes que j'aimais le plus au monde ?

Je pris place sur le siège passager. La porte coulissante, qui séparait l'arrière du véhicule de la cabine, avait été refermée. Je me demandai alors quel était le prénom de la jeune fille aux cheveux rouges. Cette question me paraissait tout d'un coup si importante que je souffrais d'en ignorer la réponse.

— Comment va-t-elle ? m'informai-je à papa. Toujours évanouie ?

— Non, Hélène l'a ranimée. Elle a été infirmière, tu te souviens ?

Lui aussi avait dégrisé depuis un moment.

— Euh... A-t-elle dit comment elle s'appelle ?

— Fannie.

Fannie ! L'adolescent envoûté que j'étais décréta aussitôt que c'était le plus beau prénom féminin qu'il avait jamais entendu.

— Sa cuisse est très mal en point, grimaça Serge. L'écœurant qui lui a fait ça mériterait d'être étripé.

— L'écœurant ?

Mon père roulait vite. Son regard ne quittait pas la route, qui se dévoilait par morceaux sous l'éclairage brutal des phares.

— Une sordide histoire de couple, m'expliqua-t-il en serrant les dents. Fannie n'a pas été très bavarde, mais... Son chum serait du genre violent. Cette nuit, il a décidé, comme ça, d'éjecter sa blonde de sa voiture, en plein bois, pour lui montrer qui était le boss. Et comme si ça ne suffisait pas, il a sorti un pic à glace du coffre et il l'a frappée. C'est dément ! Moi, des gars comme ça, je...

Mensonges ! Le mot retentit dans ma cervelle comme une sirène d'alarme. Un conjoint ultraviolent, un pic à glace dans la cuisse, et quoi encore ?

— A-t-elle reparlé de son sac ?

— Son sac ? Ah oui ! Elle a dit qu'il conte‑
nait des souvenirs de famille auxquels elle
tenait beaucoup. Je lui ai répondu qu'on n'avait
pas le temps de le chercher, qu'il était urgent
de s'occuper de sa blessure.

Des souvenirs de famille… C'était sa grand‑
mère, sans doute, qui lui avait légué le pistolet
mitrailleur ?

— On ne va pas à l'hôpital, m'indiqua
Serge avec amertume. Fannie refuse d'y aller,
parce qu'elle veut épargner son chum. L'équipe
médicale pourrait signaler l'agression à la police.
Réaction typique d'une femme battue, si tu
veux mon avis !

Les mensonges succédaient aux mensonges.
De seconde en seconde, le dossier Fannie noir‑
cissait. De quelle origine mystérieuse était donc
sa blessure pour qu'elle refuse de la faire voir
à l'hôpital ?

Papa reprit :

— Hélène m'a suggéré d'emmener notre
blessée chez un de ses amis, le docteur Séguin.
Le bon docteur ne sera pas enchanté de nous
voir débarquer à une heure pareille !

Un silence inconfortable s'installa dans la
cabine, silence que brisa mon père en allumant
la radio.

Le temps passa, rythmé par la guimauve sonore dégoulinant de l'appareil et par les questions tourmentées s'entrechoquant dans mon crâne.

Je rassemblai mon courage pour demander enfin :

— Le Front de libération du Québec... Ça se passait à ton époque, ça, non ?

Il se tourna vers moi d'un air ébahi, comme si je lui avais parlé en langue martienne.

— Voilà ce qu'on appelle sauter du coq à l'âne ! Pourquoi penses-tu à ça, tout à coup ?

— C'est dans mon cours d'Histoire. J'analyse un texte sur les années 1960-1970. Mais il n'y a pas plus que deux ou trois paragraphes sur le FLQ. J'aurais envie d'en savoir davantage.

Il n'accéda pas tout de suite à mon désir. Sourcils froncés, il paraissait soupeser sa réponse. Moi, je me tenais raide sur mon siège, la respiration suspendue, persuadé qu'il se doutait de ma tromperie. Plus tard, je compris que son hésitation n'avait aucun rapport avec moi, ni même avec Fannie.

— C'est si loin, tout ça ! finit-il par dire. Le FLQ ! En te parlant de ça, j'ai l'impression de déterrer les morts. Par quoi commencer ? D'abord, le FLQ n'est plus un sujet d'actualité depuis...

quoi ? Trente ans ? C'était un mouvement révolutionnaire, comme il y en avait un peu partout durant les années 1960, surtout en Amérique latine. À ma connaissance, c'était un groupe assez mal organisé, qui n'a jamais compté plus d'une poignée de membres à la fois. Les effelquois – c'est-à-dire les membres du FLQ – préconisaient la violence pour accéder à l'indépendance du Québec. Ils étaient du côté des travailleurs, des chômeurs, des pauvres. Ils dénonçaient le capitalisme, l'impérialisme américain, la complicité du système fédéral canadien avec le gouvernement des États-Unis.

Il loucha vers moi en secouant la tête, un sourire ambigu aux lèvres :

— Ces grands mots en « isme », je ne les ai pas prononcés depuis une éternité, Jean-Olivier. Tu me ramènes loin en arrière !

— Continue.

— Pendant des années, le FLQ s'est limité à faire exploser des bombes. Il y a eu des dizaines d'attentats. Puis, en octobre 1970, une cellule a kidnappé un diplomate étranger. Quelques jours plus tard, une seconde cellule enlevait un ministre québécois. Le gouvernement canadien a réagi en proclamant la Loi des mesures de guerre et en faisant appel à l'armée. Par centaines, des Québécois innocents ont été jetés en prison. La police a perquisitionné des milliers de foyers. Quelques heures après l'arrivée des soldats, on trouvait le cadavre du ministre dans le coffre d'une auto.

Un long soupir, puis mon père déclara :

— Au lieu de provoquer la mobilisation sociale qu'ils espéraient, les effelquois ont été les déclencheurs involontaires de la plus grosse opération de répression qu'on ait jamais vue contre le Québec.

Mon père se tut. Il ne desserra plus les dents avant que le véhicule ne quitte la forêt pour s'engager sur l'autoroute 40 qui file vers Québec.

Je méditais ses propos.

Il était très tard. J'étais fatigué. Les contrecoups de ma beuverie revenaient chambouler mon estomac. J'avais beau me creuser la cervelle, j'échouais à lier notre mésaventure aux événements historiques racontés par papa.

Aux environs de quatre heures, un bulletin de nouvelles remplaça la musique :

Un cambriolage d'une rare audace a été perpétré, tôt cette nuit, à l'armurerie Hervé Gagnon, de l'Ancienne-Lorette. Selon la police, les cambrioleurs auraient défoncé le mur est du bâtiment commercial à l'aide d'une charge d'explosifs. Les voleurs se seraient ensuite emparés de plusieurs dizaines d'armes automatiques ainsi que d'un important stock de munitions. Pour l'instant, les enquêteurs affirment n'avoir aucune piste qui pourrait mener à l'arrestation des coupables.

— Drôle de coïncidence, fit Serge. On parlait de violence et de bombes, et on apprend qu'une armurerie a été dévalisée pas très loin d'ici !

La tête me tournait, sans que le vin en soit responsable, cette fois. Un commerce dévasté par des explosifs ! Des armes volées !

Les morceaux du puzzle se mettaient en place. Mais au lieu de m'éclairer, cette nouvelle m'anéantissait. Fannie avait participé à ce cambriolage, c'était une évidence ! C'était une voleuse ! Une terroriste !

3

À cette époque, quelque temps après le 11 septembre 2001, la menace terroriste préoccupait à peu près tout le monde sur la planète.

Pas un jour ne s'écoulait sans qu'un média nous parle d'Oussama ben Laden, du réseau Al Qaïda, de la guerre en Iraq ou des tensions au Moyen-Orient. La violence politique faisait partie de nos pensées quotidiennes, même si, en général, elle ne nous touchait que de manière indirecte. Nous vivions une ère de confusion, sans bons ni méchants, où les ripostes succédaient aux agressions, où les mesures de sécurité prenaient des proportions absurdes. Dans un tel contexte, il était difficile de ne pas éprouver de la répugnance envers quiconque se réclamant du terrorisme.

Pour ces raisons, mon premier réflexe fut de parler à Serge, de tout lui raconter, d'ouvrir mon parka et de lui montrer la pile de feuilles à l'en-tête du FLQ. C'était, à vrai dire, le seul acte sensé et raisonnable à faire dans les circonstances.

Par malheur, je n'étais plus ni sensé ni raisonnable depuis que j'avais vu Fannie couchée sur la neige. J'étais obsédé par ses cheveux étalés autour de son visage, par les taches rousses sur sa peau blanche, par le regard gris qu'elle avait jeté sur moi l'espace d'une seconde.

Me confier à Serge ? Je ne le pouvais pas. Dénoncer Fannie m'aurait paru ignoble.

▲ ▼ ▲

Comme prévu, le docteur Séguin fut contrarié de recevoir une visite à cette heure de la nuit. Toutefois, sa conscience professionnelle et sa vieille amitié pour Hélène l'emportèrent sur son agacement. Après avoir glissé quelques mots à son épouse, il aida Serge à transporter la blessée jusqu'à la chambre d'ami.

Une heure plus tard, il sortait de la pièce en fermant la porte derrière lui. Son expression était soucieuse.

— Vingt-trois points de suture, nous expliqua-t-il. Elle a perdu beaucoup de sang, mais l'hémorragie est stoppée.

Relevant un sourcil, il avisa Hélène :

— Tu sais que je suis tenu de rapporter ce genre de cas à la police.

— Fannie craint la réaction de son agresseur, objecta ma mère. C'est son chum qui...

— Son agresseur ? tressaillit le médecin. Cette jeune fille avait un éclat de béton dans la cuisse ! J'ignore ce qu'elle a bien pu vous raconter, mais... Il n'existe qu'une façon par laquelle un morceau de béton peut s'enfoncer ainsi dans un muscle. C'est lors d'une déflagration. D'une explosion, si tu préfères.

4

Serge, Hélène et moi menions une vie de bohème.

Sans domicile fixe, nous n'étions pourtant pas sans abri, la vieille autocaravane nous servant autant de logis que de moyen de transport.

Nous ne tenions pas en place, voyageant au gré des petits contrats négociés par mon père. Homme à tout faire de son métier, il préférait le titre de plénipotentiaire, ce qui faisait rigoler ceux qui savaient le vrai sens de ce mot.

Je puis affirmer que Serge possédait toutes les habiletés possibles et imaginables. Construction, maçonnerie, ébénisterie, plomberie, mécanique automobile, électricité, électronique, informatique, il s'y connaissait en tout. À l'inverse de moi, il raffolait des outils, machines et bidules, et ceux-ci le lui rendaient bien.

Redresser la façade d'une grange, rénover la cuisine d'un casse-croûte, configurer un réseau d'ordinateurs dans un village, il accomplissait n'importe quel exploit en un tournemain. Du travail au noir, il faut bien l'avouer. Illégal. Mais papa disait souvent, les jours où la culpabilité l'assaillait, qu'il avait assez donné *pour cette espèce misérable qu'on appelle l'humanité.*

Ce mode de vie exigeait de mon père un don exceptionnel pour la planification. Organiser son calendrier d'exécution annuel et ses trajets routiers en harmonisant les lieux et les dates de ses engagements, cela relevait du génie.

Les contacts et les négociations s'effectuaient surtout par courriel et par téléphone. Outre le cellulaire que nous partagions à trois, le véhicule était équipé de deux ordinateurs. Une coupole installée sur le toit nous assurait l'accès à Internet.

La réparation d'un évaporateur nous avait conduits à Saint-Casimir-de-Portneuf. Monsieur et madame Hamel y possédaient une cabane à sucre dont les infrastructures vieillissaient au même rythme qu'eux. S'ils refusaient le rafistolage, ils n'avaient pas non plus les moyens d'embaucher un spécialiste. De leur point de vue, papa était arrivé comme la bénédiction qui leur éviterait une retraite prématurée.

Le travail d'Hélène exigeait moins de planification. Aussi douée en anglais qu'en français, ma mère adoptive tantôt révisait, tantôt traduisait les textes que lui courriellaient des éditeurs et des rédacteurs en chef. En soi, cette activité rapportait peu d'argent. C'était le cumul des contrats qui s'avérait lucratif, à la condition d'user ses yeux devant l'écran pendant douze heures d'affilée.

Et moi dans tout cela ? Aussi étonnant que cela puisse paraître, j'étais heureux.

Hélène était parvenue à m'inscrire dans une commission scolaire de Longueuil. Je suivais mes cours par Internet. Mes devoirs, je les livrais par courriel. Il me fallait aller sur place pour les examens de fin d'année, mais ce détour était toujours prévu dans le calendrier paternel.

L'absence de téléviseur dans la caravane ne me causait aucune frustration. J'écoutais de la musique. Je jouais à des jeux vidéo. Les journaux s'immisçaient rarement chez nous et pourtant je lisais comme un boulimique :

romans de science-fiction, bandes dessinées, mangas, revues. Nos va-et-vient continuels nous ouvraient toutes les piscines publiques du Québec, les centres de ski de fond, les parcs, les pistes, sentiers et promenades.

Seule ombre au tableau, je n'avais aucun ami à proprement parler. Mes relations étaient soit électroniques, soit téléphoniques, quelque-fois postales. Depuis un an ou deux, les amitiés normales me manquaient, sans que je sache trop à quoi ces relations-là ressemblaient.

Je commençais surtout à me tracasser au sujet des filles. L'avenir me réservait-il une liaison entretenue autrement que par clavar-dage ? Quand donc échangerais-je mon premier baiser passionné ? L'amour et le sexe me seraient-ils interdits aussi longtemps que je vivrais avec mon père et ma mère ?

5

Durant nos escales à Québec, Serge garait la caravane au parc de l'Esplanade, un parking municipal situé à l'entrée du vieux quartier. Ce stationnement à ciel ouvert, assez unique en son genre, était entouré d'une muraille de pierres. En d'autres circonstances, la perspective de nous y installer quelques jours aurait enchanté les nomades que nous étions.

Mais, depuis notre visite au docteur Séguin, la perception de mes parents avait changé. Fannie n'était plus la victime d'un amant brutal. Pour eux aussi, elle était devenue un mystère.

Quant à moi, je me posais toujours les mêmes questions. Qui était-elle ? Quel sinueux parcours lui avait fait choisir le langage des armes ? Au nom de quelle cause une fille aussi jeune, aussi séduisante, avait-elle décidé de risquer sa peau, au lieu d'aller au cinéma, de flirter, de clavarder ou de s'éclater dans les discothèques ?

J'étais éveillé. Aucun bruit ne me parvenait du dehors, sauf un chuintement mouillé lorsqu'un véhicule descendait la rue d'Auteuil. Le silence régnait à l'intérieur du fourgon. Endormis dans leur lit depuis au moins une heure, Serge et Hélène avaient donné congé à leurs soucis du jour.

De ma couchette surélevée, j'observais Fannie tout à mon aise. Malgré ce que je savais ou soupçonnais à son endroit, sa beauté et son charme restaient intacts à mes yeux.

Son visage semblait encore plus pâle dans la pénombre grise. À l'inverse, sa chevelure déployée sur l'oreiller blanc prenait une teinte plus sombre. À intervalles réguliers, sa respiration obligeait la couverture de laine à épouser les formes de son corps. Quand sa poitrine se dessinait ainsi à travers l'étoffe, j'éprouvais une fascination à laquelle se mêlait une convoitise pas si innocente.

Je retins mon souffle : les yeux de la jeune fille venaient de s'ouvrir.

Elle demeura immobile un moment, l'oreille aux aguets, cherchant à évaluer quelle était sa liberté de manœuvre.

Ensuite, avec des gestes méticuleux, elle écarta la couverture, puis redressa son torse. Elle jeta un regard vers moi, qui me trouvais de l'autre côté de l'allée. Les paupières closes, imitant le ronflement d'un dormeur, j'espérais de tout cœur parvenir à l'abuser.

Elle se leva, toujours avec les mêmes précautions, et aperçut son manteau sur le dossier du divan-lit. Après l'avoir revêtu, elle se glissa en boitant jusqu'à la porte. Je la perdis alors de vue, mais une subite bouffée d'air froid m'indiqua qu'elle sortait.

Je sautai de ma couchette, chaussai mes bottes, enfilai mon parka et descendis à mon tour de la caravane.

Je repérai la silhouette de Fannie dans l'échancrure que formait l'entrée du parking. Svelte et délicate, elle se mouvait à petits pas saccadés, en bondissant presque.

J'eus envie de l'appeler.

Dans mon imagination, elle se retournait vers moi, sa chevelure tournoyant puis retombant sur ses épaules. Figée par la surprise, elle me regardait. Un sourire s'épanouissait sur son visage. La tendresse adoucissait son regard gris. Elle me disait d'une voix claire et ardente :

C'est toi, Jean-Olivier ? Oh ! je suis si contente que tu m'accompagnes ! Depuis que je t'ai vu, je pense sans cesse à toi !

Pestant contre moi-même, j'accélérai le pas.

Fannie avait disparu derrière le mur qui longeait la rue d'Auteuil. Rendu au trottoir, je la regardai descendre la pente menant à la rue Saint-Jean. À mi-distance, elle glissa sur une plaque de glace et tomba sur sa cuisse blessée en étouffant un cri. J'eus toutes les peines du monde à me retenir de lui porter secours.

Elle se remit debout sans trop de difficulté, puis elle reprit sa descente. Son boitillement s'était toutefois accentué. À l'intersection de Saint-Jean, elle tourna à droite.

Durant la vingtaine de minutes qui suivit, je mis en pratique les divers trucs et astuces que les romans policiers m'avaient appris. Je la filai ainsi jusqu'à son point d'arrivée sans qu'elle s'aperçoive de ma présence.

Après Saint-Jean, elle franchit la rue Couillard pour tourner ensuite à droite, dans Sainte-Famille. Quelques mètres plus loin, elle prit la rue des Remparts, où des canons pointés sur le fleuve se profilaient de distance en distance.

Le ciel commençait à pâlir quand Fannie s'arrêta devant une maisonnette au rez-de-chaussée éclairé. Elle traversa l'allée et cogna à la porte.

Un long moment s'écoula, qui me parut interminable. Enfin, la porte s'ouvrit, il y eut une exclamation et Fannie se précipita à l'intérieur de la résidence. De mon poste d'observation, je n'avais pas pu voir celui ou celle qui l'avait accueillie.

M'enfonçant dans la neige à chaque pas, je me faufilai jusqu'à une vasque érigée en face d'une grande baie vitrée. Je m'assurai à nouveau que les alentours étaient déserts, après quoi je me rapprochai en catimini de la fenêtre.

D'épais rideaux la masquaient. Je me déplaçai dans un sens et dans l'autre, à la recherche d'un interstice qui m'aurait permis d'y voir quelque chose.

Un formidable coup derrière la tête me fit tomber dans la neige. Je tentai aussitôt de me relever, mais une bourrade aux côtes me coupa le souffle. Quelqu'un me saisit par le col et me força à me mettre debout.

6

Mon agresseur était un individu d'environ vingt-cinq ans, court, bâti comme un haltérophile. Son regard était féroce. Une grimace terrifiante lui déformait la bouche.

— Qu'est-ce que tu fais ici, mon tabarnak ? aboya-t-il à quelques centimètres de mon visage. Tu nous espionnes, hein ?

M'agrippant toujours par le col, il me secoua avec une aisance effarante.

— Qui es-tu ? Réponds ou je te démolis la face ! Tu travailles pour les services du renseignement, mon ciboire ! Tu vas voir ce que j'en fais, moi, des hosties de crottés de ton espèce !

À cet instant, la porte s'ouvrit pour livrer passage à un jeune homme. Grand et mince, il n'avait l'air de rien en particulier, sinon d'un garçon de bonne famille.

— Qu'est-ce qui se passe ? s'enquit-il, un peu affolé. Qui c'est, ce gars-là ?

L'athlète me projeta dans l'ouverture. Je trébuchai et tombai à plat ventre sur la carpette du vestibule.

Relevant la tête, j'obtins une vue panoramique du salon. Deux personnes, assises côte à côte sur un canapé, m'examinaient avec stupeur.

L'une d'elles se leva d'un bond. Il s'agissait d'un homme, très jeune, que son air timide faisait ressembler à un adolescent.

Tout, chez lui, dénotait la douceur, la fragilité, voire l'innocence. Une tignasse brune, de coupe presque féminine, surmontait son visage blême, aux traits d'une finesse inusitée pour un garçon, au regard velouté et mélancolique. Des habits d'un autre âge revêtaient son corps malingre : redingote, gilet croisé, chemise à col dur. Moi qui me nourrissais de science-fiction, je me dis qu'il aurait pu être un voyageur du temps venu tout droit du dix-neuvième siècle, comme dans *La machine à explorer le temps* de H. G. Wells.

L'autre personne demeura à sa place. Celle-là, je l'avais reconnue : c'était Fannie.

— Ce trou de cul était posté derrière la fenêtre ! rugit mon assaillant en m'envoyant son pied dans les fesses.

— Arrête de le frapper, ordonna Fannie. C'est le fils de ceux qui m'ont trouvée sur le bord de la route.

J'entendais sa voix pour la toute première fois. En dépit de ma situation plutôt accablante, je crois qu'un frisson de plaisir se répandit sur ma peau.

— Et puis quoi ? rétorqua Jos Bras-de-Fer. Qu'est-ce que ça change ? Ça n'explique pas du tout ce qu'il faisait dehors à nous espionner !

Le regard de Fannie, plus curieux que sévère, se fixa sur moi.

— Le mieux serait de lui poser la question, suggéra-t-elle.

On me permit de me mettre debout. Plusieurs parties de mon corps m'élançaient.

Je glissai la main droite dans la poche de mon parka.

— Pas de ça ! cria l'athlète en me broyant le poignet.

Je cessai de bouger.

— Que caches-tu dans ta poche ? me demanda Fannie.

— Un objet perdu, répondis-je. J'ai pensé que tu y tenais. C'est pour ça que je suis ici.

L'expression dubitative de la jeune fille se transforma en stupéfaction quand elle vit la boule de cristal que je lui tendais. Toute son attention concentrée sur la sphère, elle quitta le canapé et la prit entre ses mains.

Depuis mon arrivée dans cette maisonnette, deux conclusions s'étaient imposées à moi. D'abord, ces jeunes gens formaient la cellule Oiseau Rouge dont le nom apparaissait sur les communiqués, cette même cellule qui avait dévalisé l'armurerie. Ensuite, Fannie était celle qui exerçait le leadership au sein du groupe.

Tandis qu'elle contemplait la boule de cristal, son visage s'adoucit à un point tel qu'on aurait dit une fillette admirant sa poupée neuve.

Cette touchante métamorphose fut un baume sur mon cœur. J'avais moins peur, soudain. Derrière la voleuse et la terroriste, il y avait une petite fille ! Je me prenais à croire que cette histoire sordide aurait une fin heureuse.

Fannie s'arracha à sa fascination. Son masque de chef revenu sur sa figure, elle me dit avec dureté :

— Si tu ramènes ça, c'est que tu as trouvé mon sac. Ton père et ta mère m'ont menti !

— Ils ne sont pas au courant. Je ne leur ai rien dit non plus du pistolet et des communiqués. En parlant de mensonges, tu es assez experte toi-même, non ? C'est un peu mesquin de raconter des balivernes aux gens qui te sauvent la vie !

J'ignorais d'où me venait l'audace de jouer ainsi au fanfaron. En général, je n'étais pas un garçon très courageux ni très frondeur. Cet élan était-il une conséquence de l'ensorcellement amoureux que je subissais ? Ou bien le danger me faisait-il puiser dans des ressources jusqu'alors inconnues ?

Ma réplique alluma une étincelle dans les yeux de Fannie.

— Je n'ai pas à me justifier, trancha-t-elle. Mon sac, qu'en as-tu fait ?

Préférant ne pas tout dévoiler, je me bornai à dire que son fourre-tout avait été abandonné dans la forêt.

— Génial ! s'exclama-t-elle. Comme ça, la police va le retrouver.

L'impatience grandissante de ses camarades l'amena à détailler les circonstances de notre rencontre.

Ensuite, Jos Bras-de-Fer fit le commentaire suivant :

— Mettons qu'il ne travaille pas pour les services secrets. Il en sait quand même beaucoup trop, maintenant. On ne peut pas le laisser partir.

L'expression du jeune homme de bonne famille était soucieuse, grave, à la limite de l'angoisse. Le premier à réagir fut toutefois l'étrange adolescent vêtu à l'ancienne.

— Proposes-tu qu'on l'assassine ? bredouilla-t-il.

Sans répondre, l'haltérophile consulta Fannie du regard. Alors, le garçon à la redingote manifesta une singulière agitation. Il se posta au milieu du salon, bien droit, les bras raidis le long du corps. Puis il renversa la tête en arrière et regarda le plafond, serrant et desserrant les poings en un mouvement saccadé. De ma position, je vis ses paupières se crisper, comme s'il réprimait un gémissement de douleur.

Fannie brisa le silence :

— Chaque fois qu'on a discuté de ce problème, c'était sur le mode théorique. Aujourd'hui, c'est du concret. Qui veut prendre la parole ?

Le jeune homme angoissé leva la main.

— Je croyais la question réglée, dit-il avec un tremblement dans la voix. Le FLQ a toujours eu comme principe d'épargner les innocents. On est des révolutionnaires, pas des assassins.

— Épargner les innocents, je suis d'accord ! riposta l'athlète. Mais lui, il est quoi ? Sérieusement, voudrais-tu laisser circuler un gars qu'on a surpris en train de nous espionner ? Christ ! On n'est pas dans une cour d'école, ici !

— Vous craignez que je vous dénonce à la police ? dis-je. Pourquoi je ferais ça ? Je suis de passage à Québec, et puis je ne m'intéresse pas à vos affaires ! Ce que vous manigancez, je m'en fiche ! Votre FLQ, vos complots, votre supposée révolution, ça ne me regarde pas !

J'avais parlé en toute innocence, espérant leur faire comprendre que je ne constituais pas une menace. Le résultat de mon intervention fut de provoquer la colère et le mépris de celle que je tenais le plus à convaincre.

— Notre révolution ne te regarde pas ? jeta Fannie en me foudroyant du regard. Dans ce cas, qu'est-ce qui te regarde, mon beau ? La vie, pour toi, qu'est-ce que c'est ? Boire du Pepsi et bouffer du McDo ? Acheter des bébelles électroniques pour t'abrutir le mieux possible ? Rendre gloire au capitalisme en portant des vêtements marqués ? Étudier à l'université pour t'enrichir ensuite en exploitant les autres ?

49

Belles aspirations, mon gars! La publicité et la télévision t'ont bien lavé le cerveau! Ou peut-être que non. Peut-être que, dès ta naissance, tu étais un petit profiteur égocentrique aux dents de loup.

Elle se tut un instant, me laissant trop sonné pour lui répondre. Non seulement j'étais incapable d'articuler un mot, mais il me semblait que cette attaque avait anéanti mes facultés intellectuelles. J'encaissai donc la suite comme un condamné à la merci de son bourreau.

— As-tu regardé autre chose que ton nombril ces derniers temps? Les banques et les compagnies transnationales font des profits scandaleux! Pendant ce temps-là, les économies nationales s'écroulent, les usines ferment ou sont relocalisées, les emplois disparaissent. La planète entière est devenue le territoire de chasse des prédateurs qui mènent le monde. Plus de frontières! Plus de pays! Plus de gouvernements! Nos maîtres empoisonnent l'air à leur guise, rasent les forêts, polluent l'eau, transforment les terres fertiles en déserts! Et ils s'en foutent! La pauvreté qu'ils créent, le chômage, la misère, la famine, le désespoir, ils s'en foutent! Ils s'en foutent, puisque les profits augmentent! Les profits, c'est la seule logique, la seule raison d'être du capitalisme ! Et malgré cette catastrophe orchestrée par les grands décideurs, comment réagissent nos petits politiciens bien élevés, bien habillés ? Ils nous demandent de jeter nos espoirs à la poubelle, d'abandonner la lutte, de nous contenter de notre pitance, de baiser les pieds de nos exploiteurs. Pour mieux nous effrayer, pour mieux nous persuader qu'aucune amélioration n'est plus possible, ils nous cassent les oreilles avec les déficits, la dette nationale, les incapacités de l'État, les crises financières imminentes. Tu as été mis à pied, tit-cul ? Console-toi avec une bonne bière ! Ton salaire a été diminué ? Sois heureux d'avoir encore une job ! Tu veux la sécurité d'emploi ? Mais tu es bien plus docile sans elle !

Un silence respectueux succéda à ce discours. Bien qu'assommé, je me sentais tenu de dire quelque chose, ne serait-ce que pour me prouver à moi-même qu'il me restait un peu de lucidité.

— Mais pourquoi la violence ? me révoltai-je. Vous ne trouvez pas qu'il y en a assez, partout dans le monde ? Il existe des tas d'autres moyens quand on vit en démocratie ! Au Québec, on a le droit de s'exprimer, de manifester, d'élire le parti politique de son choix ! On a même pu voter, à deux reprises, pour ou contre l'indépendance ! C'est bien la preuve que les changements peuvent avoir lieu de manière pacifique !

— Tu es naïf ou aveugle ? laissa tomber Fannie en secouant la tête. La démocratie ! Le gouvernement socialiste d'Allende au Chili avait été élu démocratiquement, et ça n'a pas empêché les États-Unis fascistes de le renverser par les armes. Même chose avec les sandinistes au Nicaragua. Ici, chaque fois que le Québec s'est tenu debout au cours de son histoire, le Canada a répondu par la répression. Ta démocratie, elle est tolérée aussi longtemps qu'elle ne dérange pas nos maîtres. Le jour où elle va trop loin, ils n'hésitent pas à sortir l'artillerie lourde.

Lorsqu'elle eut fini, j'avais honte. Honte de mon incapacité à contrer ses arguments. Honte de mon ignorance sur les questions politiques. Honte de ma vie heureuse. Honte de ma frivolité quand la planète entière, si j'en croyais Fannie, n'était rien d'autre qu'une vaste prison. Honte de mon inutilité quand des jeunes comme elle et ses camarades se sacrifiaient pour un monde meilleur.

— Mais revenons à notre problème, dit-elle. On a une décision à prendre au sujet de notre ami ici présent.

— Je propose de le laisser partir, bredouilla le jeune homme de bonne famille.

— Qui appuie cette proposition ? demanda Fannie. Levez la main.

Jos Bras-de-Fer s'interposa :

— Un instant ! Avant de prendre une décision, il faut en mesurer les conséquences. On ne sait pas ce qui va arriver si on libère ce gars-là. Je n'ai pas envie de rester ici et d'attendre que la police débarque.

— Tu as raison, approuva la jeune fille. Le laisser partir, ça signifie qu'on ne remet plus les pieds dans cette planque. Qui vote pour ?

Tous levèrent la main, sauf l'haltérophile, bien entendu.

— Tu es libre, déclara Fannie en me fixant droit dans les yeux.

Je pleurai presque de soulagement à cette nouvelle. Cependant, j'hésitais à me remuer. Sachant que je ne reverrais plus jamais cette jeune fille, pouvais-je m'en aller, franchir la porte, retourner à la caravane comme si de rien n'était ? Voulais-je vraiment cela ?

Triste et confus, je m'acheminai sans conviction vers la sortie. Au moment d'atteindre le vestibule, une voix retentit dans mon dos :

— Jean-Olivier...

C'était Fannie. Appuyée contre une cloison afin de ménager sa jambe blessée, elle m'observait.

— Je sais que tu te nommes Jean-Olivier, j'ai entendu ton père te parler pendant la nuit.

Elle souriait d'un sourire très fin dont je ne pouvais déchiffrer le sens. J'eus soudain beaucoup de mal à affronter ses yeux gris.

— Merci de m'avoir sauvée, dit-elle. À toi et à tes parents.

Puis, montrant la sphère rosâtre qu'elle tenait toujours dans sa main :

— Merci aussi de m'avoir rapporté cela. Cette boule de cristal, c'est mon porte-bonheur. Sans elle, aussi idiot que ça paraisse, je me sens vulnérable. Tu vois, on peut se prendre pour Che Guevara et être aussi superstitieuse qu'une arrière-grand-mère.

7

Je me traînais vers le stationnement du parc de l'Esplanade.

Le ciel était morne. Les piétons matinaux, emmitouflés jusqu'aux yeux, se hâtaient le long de la rue Saint-Jean. Sur la chaussée, la neige n'était déjà plus que de la sloche brunâtre.

Une image accaparait mon esprit : le sourire de Fannie au moment de mon départ.

Je me reprochais de lui avoir caché mes sentiments. Mais comment aurait-elle réagi si je lui avais confié que Cupidon avait planté sa flèche dans mon cœur sensible ? Elle m'aurait ri au nez, et c'est elle qui aurait eu raison.

Mon regard rencontra une cabine téléphonique, ce qui provoqua un déclic en moi.

Parmi les amitiés *soit électroniques*, *soit téléphoniques* que j'entretenais, il y avait Florence. Cette jeune Française dégourdie se vantait de pouvoir tirer du Web n'importe quelle information sur n'importe quel sujet. Elle se flattait même, du moins auprès de moi, de ses talents de pirate informatique. Sur ce point, je l'avais mise à l'épreuve à deux ou trois reprises. Elle m'avait alors fourni des documents exclusifs qui avaient confirmé ses prétentions.

Ce matin-là, Florence me paraissait la seule personne au monde à pouvoir m'aider. Quelle aide était-elle en mesure de m'apporter ? De cela, je n'avais qu'une idée bien imprécise.

En fin de compte, qu'est-ce que je voulais ? Percer le mystère de Fannie était la réponse qui me venait tout de suite à l'esprit. Mais ce souhait, en réalité, cachait une intention beaucoup plus ambitieuse. Ce que je désirais vraiment, c'était me rapprocher de cette fille aux cheveux roux, qu'elle s'intéresse à moi, qu'il se passe entre nous quelque chose de beau et de tendre.

Je me traitais d'imbécile. Avoir le béguin pour une fille qui trimbalait un Uzi dans son sac ! Tomber amoureux d'une terroriste, d'une chef de cellule par surcroît ! Ce que je ressentais, était-ce cela, le fameux coup de foudre ?

Quelle calamité ! J'avais l'impression d'avoir contracté un virus qui détraquait mon cerveau, amollissait mon corps, détruisait ma volonté.

8 h 15, heure de Québec. À Paris, il était donc 14 h 15. Je m'engouffrai dans la cabine, saisit le combiné du téléphone et insérai ma carte d'appel. Le numéro de Florence était l'un des rares que je connaissais par cœur.

Elle décrocha après une sonnerie :

— Si c'est pour une sollicitation, va te faire foutre.

Son entrée en matière me laissa sans voix une seconde ou deux.

— Qui est là ? reprit-elle. Putain ! Pas encore un de ces connards de pervers de merde !

— Non, je... Ne raccroche pas, Florence ! C'est moi, Jean-Olivier, le Baroudeur de Nouvelle-France !

Pour les fins de nos échanges électroniques, elle m'avait affublé de ce surnom que j'avais fini par adopter.

— Jean-Olivier ! s'exclama-t-elle. Hé ! ça fait plaisir de t'entendre ! Un mois sans nouvelles, j'appelle ça de la violence psychologique ! Tu vas bien ?

— Euh... Ouais... On est au pire de l'hiver, ici. Il fait très froid.

— Et la neige, il y en a beaucoup ?

— Comme d'habitude.

— Tu n'es pas très bavard. Je peux faire quelque chose pour toi ? Veux-tu des infos sur le clonage de la mouche tsé-tsé ? Une liste des dentifrices utilisés par les papes au vingtième siècle ?

D'habitude, que ce soit par courriel ou par téléphone, Florence n'avait aucune difficulté à me faire rire. En cette matinée de déchirement et d'amertume, toutefois, son humour tombait à plat.

— As-tu déjà entendu parler du FLQ ? lui demandai-je.

— FLQ... FLQ... Ah ! le Front de libération du Québec ! De l'histoire ancienne, ça, Jean-Olivier. C'est pour un travail scolaire ?

— Pas vraiment... Tous les renseignements que tu pourras dénicher sur le FLQ feront mon affaire. Son passé, son présent...

— ... et son avenir ! compléta Florence à la blague. Coïncidence, j'étudie Nostradamus ces jours-ci. Veux-tu connaître ses prophéties sur l'indépendance du Québec ?

— Je n'ai pas envie de rigoler. Il se passe ici des choses assez graves et...

— Je vois. Une gonzesse. Il fallait bien que ça t'arrive, un jour ou l'autre. Elle est mignonne, au moins ?

— S'il te plaît... Quand penses-tu m'envoyer la documentation ?

— Plus un mot sur ta dulcinée, d'accord. Tu auras mon rapport demain. D'ici là, sois prudent.

8

Je prévoyais un accueil orageux de la part de mes parents. Bien que je ne sois pas Nostradamus, ma prophétie se réalisa.

Si Serge resta muet en me voyant entrer, sa physionomie n'en évoquait pas moins un cratère volcanique juste avant l'éruption. Quant à Hélène, elle fit tout pour ressembler à She-Hulk, la version féminine du monstre vert gonflé aux rayons gamma.

— Qu'est-ce qui t'a pris de disparaître en pleine nuit ? Tu t'en fiches qu'on se ronge les sangs pendant des heures ? Cinq minutes de plus et on lançait la police à ta recherche ! Tu es irresponsable, Jean-Olivier ! Tu mériterais qu'on t'inscrive dans une vraie école ! Et cette fille, c'est quoi, son problème ? Veux-tu bien me dire dans quelle magouille elle est impliquée ?

J'admis ma culpabilité. En guise d'explication, je racontai que Fannie, à cause de sa blessure, avait eu besoin de mon aide pour retourner chez elle.

Maman retrouva son calme. Du côté de papa, le sismographe enregistra une baisse des activités telluriques.

Mon mensonge était un succès, mais cela ne me réjouissait pas.

Duper Serge et Hélène avait un arrière-goût de trahison.

▲ ▼ ▲

Une heure plus tard, mon père et ma mère étaient de retour, frigorifiés jusqu'à la moelle et chargés de sacs d'épicerie.

— Tu prendras bien des croissants ? m'offrit papa. Les journaux aussi vont t'intéresser.

Le cambriolage de l'armurerie faisait la une de tous les quotidiens. Je parcourus photos et articles en feignant le détachement. Aucune information nouvelle n'y figurait sur les auteurs du vol ni sur leurs motifs.

Serge se pencha vers moi.

— On sait que tu nous caches des choses, déclara-t-il. Bien sûr, cela m'intrigue que tu agisses ainsi. Mais bon, j'ai été adolescent, moi aussi.

Il soupira.

— L'important, Jean-Olivier, c'est que tu fasses attention. Même quand une criminelle a des cheveux roux et les plus beaux yeux gris du monde, elle reste une criminelle.

▲ ▼ ▲

Mon déjeuner englouti, je dormis six heures de suite.

À mon réveil, la nuit était déjà bien installée derrière les fenêtres. Je trouvai un mot, piqué dans le tableau de liège :

Partis sur la terrasse Dufferin pour contempler les glaces du Saint-Laurent. On ne t'a pas invité : tu dormais comme un loir. De retour vers 19 h.

Je consultai ma montre : 16 h 48.

Une foudroyante impression de solitude s'abattit sur moi.

À l'intérieur du fourgon calfeutré d'ombres, je perçus la présence de Fannie, ou plutôt celle de son fantôme. L'apparition, figée et muette, me souriait du fond de l'habitacle.

Je pris peur.

Qu'est-ce qui m'arrivait ? Pourquoi cette obsession pour une fille que je ne connaissais même pas la veille ?

Me secouant, j'ouvris la grosse malle et en tirai ma vieille paire de patins.

Un quart d'heure plus tard, tuque sur la tête et foulard au cou, je cabriolais sur la patinoire extérieure de la place d'Youville.

En dépit de mes efforts pour l'oublier, la chevelure rouge de Fannie m'apparaissait quel que soit l'endroit où je posais les yeux.

9

Aussitôt debout, le lendemain, je lançai un coup d'œil par la fenêtre. Le ciel pâle saupoudrait sur toute chose une neige légère, duveteuse.

Pendant le déjeuner, Serge raconta la soirée qu'il avait passée avec Hélène dans le Vieux-Québec. Maman annonça qu'elle préparerait des grands-pères à la mélasse pour le souper.

▲ ▼ ▲

Le Café Internet de la rue Saint-Jean ressemblait à un casse-croûte, avec son comptoir en zinc, ses petites tables rondes et son odeur de friture. La partie du fond était néanmoins réservée à une demi-douzaine de postes informatiques, tous occupés pour l'instant.

J'avalai un *milk shake*. Quand un poste se libéra, je m'assis devant l'écran et composai le mot de passe me permettant d'accéder à mon courrier électronique.

Il va sans dire que j'aurais pu prendre livraison de mes messages à partir d'un des ordinateurs de la caravane. Mais j'aurais ainsi risqué que l'un ou l'autre de mes parents ne regarde par-dessus mon épaule.

Voici ce que j'ai dégoté à propos du FLQ, m'écrivait Florence. *Mes recherches ont débordé du sujet, mais tu m'avais dit de ratisser large. Il y a beaucoup de fichiers. Bonne lecture.*

J'ouvris le premier document. Il relatait l'histoire du mouvement révolutionnaire, de sa fondation en février 1963 à sa disparition plus ou moins officielle vers 1976.

Je passai au second fichier. Celui-là renfermait des photographies, toutes en noir et blanc, extraites de journaux, de livres ou de magazines. Les fondateurs du FLQ : Georges Schoeters, Gabriel Hudon, ainsi que Raymond Villeneuve alors âgé de 19 ans. Pierre Vallières, auteur du livre *Nègres blancs d'Amérique*, qu'il écrivit derrière les barreaux en 1967. Pierre-Paul Geoffroy, condamné en 1969 à 124 peines d'emprisonnement à vie pour une série d'attentats à la bombe. Les pseudo-fedayins Normand Roy et Michel Lambert, alias Selim et Salem, photographiés en août 1970 dans un camp d'entraînement palestinien en Jordanie. Carole Devault, indicatrice et agent provocateur de la police entre 1970 et 1972. L'agent Robert Samson, de la Gendarmerie royale du Canada, condamné en 1974 pour avoir commis un attentat à la bombe.

Le troisième document racontait les événements de l'automne 1970, dont mon père m'avait parlé et qu'on appelait depuis lors la crise d'Octobre. Sa lecture m'apprit qu'en vertu de la Loi des mesures de guerre, la police – en plus d'arrêter 500 citoyens – avait effectué près de 35 000 perquisitions ! Le quatrième fichier envoyé par Florence contenait la liste des personnes emprisonnées.

Mon intérêt augmenta lorsque je parcourus le fichier numéro 5. Il portait sur les différentes opérations mises sur pied par le gouvernement fédéral afin de combattre le FLQ. Ainsi découvris-je que tous les partisans de l'indépendance du Québec, terroristes ou non, furent considérés en haut lieu comme une menace à la sécurité du Canada. La Gendarmerie royale les désignait d'ailleurs, sans faire de distinction, sous le nom de *separatists/terrorists*.

En mai 1970, juste après l'élection des premiers députés indépendantistes à Québec, un comité fédéral enjoignit la GRC de créer une section spéciale. Ce groupe, baptisé Section Guillotine, avait pour mission *de contrer par tous les moyens l'action des* separatists/terrorists *et d'empêcher la réalisation de leur objectif*. Directive numéro 1 : *Surveiller toutes les personnes et infiltrer toutes les organisations qui sont en faveur d'un Québec séparé du Canada.*

Ce détail me tracassa. Je lus le reste du fichier en diagonale, puis j'ouvris le suivant.

En 1977, deux commissions d'enquête furent instituées pour faire la lumière sur les opérations antiterroristes menées au Québec après la crise d'Octobre. Les témoignages recueillis apportèrent la preuve que la surveillance et l'infiltration des mouvements indépendantistes, y compris les mouvements légaux, se poursuivirent durant plusieurs années.

J'interrompis ma lecture, me demandant où en était la situation à présent.

Malgré mon ignorance de la chose politique, je savais que le séparatisme québécois n'effrayait plus autant le Canada que par le passé. Mais le FLQ, en tant que mouvement terroriste, avait toujours été illégal. En outre, depuis les attentats du 11 septembre, les services secrets de tout le continent étaient sans cesse sur un pied d'alerte.

Dans ces conditions, n'y avait-il pas lieu de supposer que la Section Guillotine, ou toute autre section spéciale du même acabit, pouvait encore être opérationnelle ? Si c'était le cas, il y avait fort à parier que l'existence de la cellule Oiseau Rouge soit connue. Et même – pourquoi pas ? – que le groupe de Fannie soit surveillé, sinon infiltré par les services secrets.

Sentant la panique monter en moi, je rédigeai un message pour Florence :

Gros merci. Tes documents m'apprennent beaucoup de choses.

Maintenant, pourrais-tu me trouver d'autres informations sur la Section Guillotine ? Si elle fonctionne toujours, y a-t-il moyen de savoir dans quels groupes elle a placé des agents d'infiltration ?

Je sais que je t'en demande beaucoup, mais il me faut ces renseignements à tout prix.

▲ ▼ ▲

La neige tombait plus lourde et plus abondante.

Lorsque je poussai la porte pour sortir, ma première contrariété vint d'une rafale qui me fouetta le visage et m'aveugla. Ma seconde, aussitôt après, fut d'entendre une menace grommelée à mon oreille :

— Tu me suis sans faire d'éclat. Sinon, je te fais exploser la cervelle.

La voix était celle de Jos Bras-de-Fer.

Sa poigne autour de mon bras était aussi puissante, aussi insistante que la mâchoire d'un gros chien. Je tentai de me dégager pour lui faire face, mais il me força à avancer.

— Qu'est-ce qui te prend ? Qu'est-ce que je t'ai fait ?

— Ta gueule ! Et ne joue pas l'innocent, je te surveille depuis hier matin. Pour un gars qui ne s'intéresse pas à nos affaires, tu reçois de maudits bons documents de tes supérieurs !

— Hé ! Ce n'est pas du tout ce que tu penses ! Je ne...

Il m'assena un coup de genou dans les fesses.

— J'ai dit : ta gueule ! Cette nuit, on a retrouvé le sac de Fannie dans la forêt. Nos papiers n'y étaient pas. Tu les as gardés, mon sacrament de calvaire !

À travers le voile que formait la neige, j'aperçus une voiture garée le long du trottoir, juste en face de nous. Il y avait une fille au volant.

Celle-là, je ne l'avais encore jamais vue. Un fond de teint blanc et un rouge à lèvres noir lui donnaient une tête de vampire. Une bague perçait sa narine gauche. Couronnant l'ensemble, des cheveux mauves jaillissaient en tous sens pour retomber en désordre devant ses yeux.

Le coffre de l'automobile s'ouvrit. Jos Bras-de-Fer m'y poussa avec une telle violence que je basculai dedans la tête la première. Me saisissant ensuite par les jambes, il m'enfonça dans cet espace réduit comme si j'étais un paquet de linge.

Le coffre se referma dans un claquement.

10

Bien entendu, Fannie n'était pas le seul membre de la cellule à posséder une identité.

Jos Bras-de-Fer se nommait en réalité Connie Haffigan. De descendance irlandaise, il était le plus âgé du groupe. Il œuvrait comme travailleur de rue auprès des jeunes sans-abri, des délinquants et des fugueurs de la région de Québec. Ses camarades du FLQ, s'amusant à déformer son prénom, l'appelaient volontiers Connard.

Le jeune homme de bonne famille, qui s'appelait Charles, étudiait en relations industrielles à l'Université Laval. Ses parents, des agriculteurs, s'occupaient de leur petite ferme à Sainte-Marie-de-Beauce.

La conductrice aux airs de vampire portait le joli surnom de Lilas. Ancienne cadette de l'armée canadienne, c'est elle qui avait fabriqué la bombe utilisée lors du cambriolage. Après le vol, elle avait transporté seule le butin jusqu'au second repaire de la cellule. Pendant ce temps, afin de brouiller les pistes, chacun de ses complices avait fui à bord d'un véhicule distinct et dans une direction différente.

Pour Fannie, cette partie du plan faillit s'achever par un désastre. L'explosion, tel que le comprit plus tard le docteur Séguin, lui avait laissé une grave blessure à la cuisse. Or, se sentant de plus en plus faible et étourdie à mesure qu'elle perdait son sang, elle décida de s'arrêter. Elle abandonna sa voiture dans un creux de la forêt et se posta en bordure de la route avec l'espoir qu'un conducteur la prendrait jusqu'à Québec. Elle tomba évanouie au bout de quelques minutes. Sans le passage de l'autocaravane, il est probable que Fannie serait morte d'hypothermie.

Un mot sur le cinquième membre de l'Oiseau Rouge, cet étrange garçon vêtu à l'ancienne. Si j'ignore toujours son nom véritable, je pris l'habitude de l'appeler Nelligan à l'exemple de ses compagnons. Il souffrait d'autisme, à tout le moins d'une

forme atténuée de ce trouble du comporte-
ment. Hypersensible, il avait tendance à se
replier sur lui-même durant les périodes de
forte tension. La plupart du temps, toutefois, il
était aussi utile à la cellule que ses camarades.

▲ ▼ ▲

Pour gagner Saint-Vallier-de-Bellechasse à
partir de Québec, il faut accéder à la rive sud
par l'un des deux ponts, puis prendre l'autoroute Jean-Lesage en direction est. Le village
est situé à cinquante kilomètres de la capitale,
sur le bord du fleuve, face à l'île d'Orléans.

Le second repaire de la cellule Oiseau
Rouge était un luxueux chalet bâti au milieu
d'un champ, entre Saint-Vallier et l'ancienne
gare de chemin de fer. Cette demeure appar-
tenait aux parents retraités de Lilas, qui s'en-
volaient chaque hiver vers la Floride. Les plus
proches voisins habitaient une ferme laitière,
à plusieurs centaines de mètres de distance.
Quand l'ancienne cadette y avait déchargé les
armes et les munitions volées, personne n'avait
remarqué quoi que ce soit.

Je restai enfermé dans le coffre de l'auto
durant près d'une heure et demie. Outre la sensation d'étouffement, la quasi-certitude de ma

mort prochaine sabotait mon esprit, me privant de toute capacité de réfléchir.

Lorsque le moteur s'éteignit et que mes kidnappeurs me permirent enfin de sortir, on ne pouvait plus dire qu'il neigeait. Il tempêtait plutôt. L'éblouissement causé par la lumière du jour, la neige dans mes yeux, la violence avec laquelle je fus traîné, tout cela m'empêcha de bien voir et, donc, de me faire une idée du lieu où j'avais abouti.

Devant moi, une porte s'ouvrit avec fracas et des pas résonnèrent sur une surface dure.

— On ramène le trou de cul ! aboya Connard en me poussant dans la salle de séjour. Si ce gars-là n'est pas un espion, je jure de vous chanter tous les soirs *God Bless America* !

Je promenais des regards hébétés sur la vaste pièce qui m'encadrait.

Les autres membres de la cellule étaient là, Fannie, Nelligan, Charles, chacun plongé dans une activité différente. Au fond de la salle, de grosses bûches crépitaient dans un âtre monumental. À gauche, une immense baie vitrée dévoilait une prairie enneigée prise d'assaut par le vent. À droite, une seconde fenêtre, plus petite, montrait un paysage à peu près identique.

En constatant ma présence parmi les arrivants, Fannie s'arracha du bureau où elle travaillait et se planta en face de Connard. Celui-ci secoua la neige accumulée dans ses cheveux avant de la regarder avec défi.

— Qu'est-ce que tu as fait ? l'admonesta la jeune fille, qui contenait mal sa colère. Introduire un étranger ici au mépris de toutes les consignes ! Donne-moi vite une explication ! Et elle a besoin d'être convaincante !

Peu impressionné par la réaction de son chef, Connard relata la surveillance qu'il exerçait sur moi depuis la veille au matin. Son rapport incluait le coup de fil – incriminant selon lui – que j'avais donné à Florence après ma libération. Pour finir, il raconta sa dissimulation dans le Café Internet et comment il m'y avait vu consulter la série de documents sur le FLQ. Ajouté au vol des papiers à en-tête, son témoignage composait un acte d'accusation assez lourd.

Tandis que mes torts étaient ainsi exposés, moi, pauvre imbécile, je n'avais d'yeux que pour l'ensorcelante beauté de Fannie.

Ce jour-là, elle avait attaché ses cheveux pour en faire deux longues tresses. Le galbe de sa poitrine était mis en valeur par un chandail vert très ajusté. Un *leggings* noir moulait ses jambes et ses cuisses comme l'aurait fait une seconde peau.

Sauf le bandage qui se dessinait à travers le tissu, rien ne rappelait qu'elle avait failli mourir moins de deux jours auparavant.

Connard continuait à parler. Je reportai un instant mon attention sur ses camarades masculins. Charles suivait ses propos avec un sérieux inquiétant. Nelligan l'écoutait en arborant une expression proche du désespoir.

Je me demandai comment ces trois hommes pouvaient cohabiter avec Fannie sans tomber amoureux d'elle. Par quelle discipline intérieure retenaient-ils leurs émois quand, chaque jour, ils la voyaient vivre, bouger, sourire, respirer ? Sans le moindre doute possible, me disais-je, ils étaient tous fous d'elle. La seule et unique raison qui les motivait à cacher leur flamme, c'était pour empêcher l'éclatement du groupe.

Un silence de mort me tira de mes divagations. Les cinq effelquois m'observaient. Je sursautai en apercevant le pistolet, noir et anguleux, au poing de Lilas.

11

— Tu es sourd, le crotté ? hurla Connard. Veux-tu qu'on te débouche les oreilles à coups de Magnum ?

Comme je restais pantois, Fannie le relaya, mais sur un ton plus conciliant :

— On veut savoir si tu travailles pour les services du renseignement. C'est sérieux, Jean-Olivier. Tu joues peut-être ta vie en ce moment.

— *Peut-être* ? répéta l'homme fort. Il n'y a pas de peut-être ! S'il n'en tenait qu'à moi, je lui crisserais tout de suite une balle entre les deux yeux !

— Tu vas te taire, Connie Haffigan ! lui ordonna Fannie.

Le silence revint.

— Vous vous trompez, bredouillai-je. Je ne travaille pour personne.

Aucune émotion n'était plus discernable dans les yeux de Fannie, seulement une grande fatigue.

— À qui as-tu téléphoné hier matin ? questionna-t-elle. Et ces documents sur le FLQ, qui te les a envoyés ?

Lilas leva son arme de manière à viser mon front.

— C'est une amie qui habite la France, répondis-je. Je lui ai demandé de me préparer un dossier sur le FLQ. Les recherches sur Internet, et même le piratage, n'ont aucun secret pour elle.

— Pourquoi lui as-tu demandé ça ?

J'hésitai :

— Parce que... Tomber sur une cellule révolutionnaire en pleine action, il y a de quoi piquer la curiosité de n'importe qui !

— Tu comptes nous faire avaler ça ? rétorqua Connard. C'est aussi par curiosité que tu as pris nos communiqués ?

Je me sentais aussi coincé qu'un malfaiteur cerné par la police. Plus encore : qu'un condamné devant le peloton d'exécution. Dans quelques secondes, on me mettrait un bandeau sur les yeux. Ou peut-être n'y aurait-il pas de bandeau. Juste un coup de feu et une douleur atroce qui m'emporterait loin, très loin.

— C'est vrai! avouai-je. J'ai gardé vos communiqués. Et aussi un carnet. Pourquoi? Par curiosité, je vous l'ai dit. Mettez-vous un peu à ma place! Mes parents et moi, on trouve une fille blessée sur la route. Je ramasse son sac. Dedans, il y a un pistolet mitrailleur et des papiers signés FLQ. Comment est-ce que ça aurait pu me laisser indifférent?

Durant de longues et pénibles secondes, Fannie m'étudia du regard, fouillant en moi à la recherche du moindre signe de tromperie, de fausseté, de mensonge. Son examen dut la satisfaire car, à la fin, elle s'informa :

— Les communiqués et le carnet, où sont-ils?

— Dans l'autocaravane, sous mon matelas. Personne ne les a vus, je le jure.

— Ah! parce qu'il faudrait dire merci à monsieur! fulmina Connard. Il nous vole, il nous espionne, il fait un rapport à ses supérieurs, et on devrait l'applaudir!

Il se jeta sur moi sans avertissement et tordit d'une main le foulard qui entourait mon cou.

— Dis-nous la vérité ou je te la fais sortir de force!

L'air n'arrivait plus à mes poumons. Par une sorte d'instinct, je balançai mon genou droit dans l'entrejambe du terroriste. Il relâcha aussitôt son étreinte et recula d'un pas en se ratatinant comme un ballon qui se dégonfle.

Sa défaite, cependant, fut de courte durée. De nouveau il bondit sur moi, en une charge si puissante que je tombai sur la moquette. Mon corps fut vite écrasé par le sien. Deux centimètres à peine séparaient mon visage du revolver qu'il braquait sur moi.

— Tu n'aurais jamais dû faire ça, mon hostie !

La petite gueule ronde de son arme se préparait à tonner. Dans une seconde, je mourrais.

Poussé par une volonté qui était celle de la vie même, je criai :

— La Section Guillotine ! Écoutez-moi ! Il y a un agent d'infiltration parmi vous !

— Quoi ? s'exclama Charles. Qu'est-ce qu'il radote ?

— Il a la chienne, trancha Connard. Alors, il essaie de nous fourrer avec une nouvelle menterie.

— Non ! insistai-je. C'était dans le dossier de mon amie ! La Section Guillotine est une section spéciale des services du renseignement !

— Vous comprenez ce qu'il tente de faire ? insinua Charles. Il veut nous diviser ! Il veut qu'on se méfie les uns des autres !

Jos Bras-de-Fer enfonça le canon du revolver dans ma bouche.

— La manipulation, c'est bien une méthode de flic, ça ! S'il y a un mouchard ici, mon salaud, c'est toi et ta maudite face de rat !

Je devinai par son expression qu'il s'apprêtait à tirer. Mais quelque chose l'arrêta, car il tressauta de surprise, après quoi il ne fit plus un geste.

Je vis Fannie apparaître au-dessus de lui.

— Elle m'intéresse, sa menterie, dit-elle. Navrée pour le pistolet collé sur tes reins, Connard, mais tu ne m'as pas donné le choix.

Mon ennemi avait l'air d'un dormeur réveillé en sursaut. Il lâcha son arme, qui rebondit à côté de ma tête. Puis, il se mit sur ses jambes en chancelant.

— Ça va mieux ? s'informa son chef. Tu retrouves tes esprits ? Je te suggère une très longue promenade dans la tempête. Ce qui vient de se passer, je ne le tolérerai pas deux fois.

Affligé de honte, Connard tourna le dos à ses camarades et prit appui sur le dossier d'une chaise. Fannie ramassa le revolver sur la moquette et remit à Lilas les deux armes qu'elle tenait.

— Range-moi ça dans le sous-sol, avec le reste.

Elle m'aida à me remettre debout et me désigna un canapé. Je m'assis en tremblant, encore bouleversé par la violence de Connard.

Dire que je me sentais mieux serait un euphémisme. En fait, j'éprouvais l'intense et catégorique impression que Fannie venait de me sauver la vie. Dans l'état émotionnel qui était le mien, non seulement cette fille se révélait ma bienfaitrice, mais elle acquérait des dimensions héroïques.

Sans autre délai, elle reprit son interrogatoire.

— Ton amie française, elle est un peu *hacker*, as-tu dit ?

Installée à mes côtés, sa cuisse frôlant presque la mienne, elle attendit ma réponse. Je mis du temps à me ressaisir, en particulier parce que la lumière jetait des reflets sur ses lèvres humides. Quand elle bougeait, une bouffée chaude et parfumée sourdait de son corps pour venir effleurer mon visage.

— Oui, dis-je enfin. Florence est très forte pour pénétrer un réseau et dérober de l'information. Surtout, elle ne laisse pas de trace. Si elle voulait, elle ferait beaucoup d'argent, mais elle est honnête.

— Les documents qu'elle a rassemblés pour toi sont-ils publics, ou a-t-elle dû pirater un système pour les obtenir ?

— Je l'ignore. Mais je peux te montrer le dossier, si tu veux. Vous avez accès à Internet, ici ?

— Non, ce chalet n'a même pas de ligne téléphonique.

Charles s'immisça dans notre conversation. Je ne m'étais même pas rendu compte que les autres se tenaient tout près, à nous écouter.

— Tu en avais entendu parler, toi, de cette section spéciale ?

Sa question s'adressait à Fannie, qui répondit sans hésitation :

— La décision de former la Section Guillotine a été prise le 5 mai 1970 par un comité du cabinet fédéral. Le premier ministre Pierre Elliott Trudeau, de sinistre mémoire, présidait ce comité. La création de la section, ses mandats, ses objectifs sont connus. Par contre, ses activités réelles sont restées top secret. Aussi bien la GRC que Trudeau lui-même ont toujours refusé l'accès public aux dossiers. Lors des commissions d'enquête des années 1970, certains témoignages ont été éclairants, mais on est loin de tout savoir. Le secret est encore mieux gardé aujourd'hui, parce qu'il y a eu réorganisation complète des services canadiens du renseignement en 1984. Et ça s'est encore aggravé depuis la Loi antiterroriste votée en 2001.

— À ma demande, précisai-je, Florence est en train de chercher d'autres renseignements sur la Section Guillotine. Elle me contactera bientôt, peut-être demain.

— Demain ! bondit Lilas, que j'entendais parler pour la première fois. Il peut arriver pas mal de choses d'ici demain. Si on est espionnés de quelque manière que ce soit, notre temps est compté.

— Sauf que cette histoire ne tient pas debout ! rétorqua Charles. Un agent double ? Voyons donc ! On se connaît tous les cinq depuis des années !

Fannie le rembarra :

— À ton avis, on est dans la téléréalité ou dans la vraie vie ? Quand on choisit l'action illégale, la délation et la trahison font partie des risques.

— Tu proposes quoi, alors ? De torturer chacun de nous à tour de rôle ?

Contre toute attente, la meilleure suggestion vint de Connard, qui avait regagné le groupe.

— Une fouille, laissa-t-il tomber. Si cette section de merde est au courant de notre existence, elle nous a mis sur écoute, c'est certain.

Fannie se leva en désignant l'ex-cadette :

— Lilas, c'est toi l'experte en bidules. Fouille le chalet de fond en comble avec Connard et Charles. Je veux des résultats d'ici une heure.

Elle m'adressa un regard impassible avant de retourner à son bureau. Je restai à ma place et me fis tout petit, jugeant que cela valait mieux pour moi. Cela ne m'empêcha pas de caresser Fannie des yeux tandis qu'elle inventoriait le contenu de ses tiroirs.

Il fallut une vingtaine de minutes à Lilas pour trouver ce qu'elle cherchait. La chose avait été cachée dans la boîte électrique d'un interrupteur. C'était minuscule. Pour un regard profane comme le mien, cela ressemblait à une pile.

L'ex-cadette examina l'objet à la lumière d'un plafonnier, puis elle déclara :

— C'est bien un micro espion.

12

Tous les membres de la cellule étaient rassemblés autour de Lilas, retenant leur souffle.

— Je suis sûre qu'il y en a d'autres, ajouta-t-elle. Il y a peut-être même une microcaméra quelque part.

— Qu'est-ce que ça signifie ? gémit Nelligan.

Sans se départir de son calme, Fannie résuma :

— C'est simple. Si on a trouvé un micro, c'est que quelqu'un l'a installé : soit un flic pendant qu'on était tous absents, soit l'un d'entre nous pendant qu'il était seul. En conclusion...

Connard compléta sa phrase :

— En conclusion, notre beau grand repaire luxueux est brûlé. Ça fait deux planques perdues en deux jours.

— Quoi ? couina Nelligan, de plus en plus désemparé.

— Ce n'est pas tout, reprit Fannie. Depuis l'installation de ce micro, ceux qui nous espionnent ont entendu tout ce qui s'est dit ici. Et ils savent qu'on les a découverts, puisqu'ils nous écoutent en ce moment même.

Lilas considéra le petit appareil qu'elle avait gardé dans le creux de sa paume. Comme s'il lui brûlait la main, elle le jeta sur la moquette et l'écrasa d'un coup de talon.

— Inutile, lui dit Fannie. Je pense comme toi : il y en a sûrement d'autres.

— Minute ! riposta Charles. Si la surveillance dure depuis un certain temps, les flics savaient qu'on irait cambrioler l'armurerie. Alors, quelqu'un peut-il me dire pourquoi ils ne nous ont pas empêchés de le faire ? Pourquoi aussi ils ne nous ont pas arrêtés, une fois le vol commis ?

Cette question embarrassa Fannie. Au lieu de répondre, elle s'écarta quelque peu de ses camarades et fixa son attention sur le paysage hivernal que délimitait la fenêtre.

La tourmente faisait rage dehors. Dans son apparente folie, elle semblait s'amuser à fouetter la vitre à grands coups de tourbillons blancs.

La terroriste aux cheveux rouges déclara :

— On a une décision à prendre. À l'ordre du jour, un seul point : *qu'est-ce qu'on fait ?*

Tous se regroupèrent autour d'elle, à part Nelligan qui demeura immobile, comme pétrifié. Quant à moi, je n'osais toujours pas bouger de ma place.

Lilas fit un geste dans ma direction :

— Il ne fait pas partie de la cellule, lui. Je ne veux pas qu'il entende ce qu'on va dire.

— Moi non plus, approuva Charles. Et je n'ai pas changé d'idée à son sujet. J'ajouterais même un second point à ton ordre du jour, Fannie : *de quelle manière on élimine ce gars-là ?*

La découverte du micro, loin de me rassurer sur mon sort, m'avait consterné. Certes, j'étais assez fier d'avoir permis que soit exposée au grand jour la menace pesant sur la cellule. La connaissance de cette menace, par contre, précipitait les événements. Auparavant, la tension et l'émotivité étaient déjà tangibles au sein du groupe. Qu'adviendrait-il de moi maintenant que le niveau d'alerte était passé

91

au rouge ? Les dernières paroles de Charles et de Lilas n'annonçaient rien de bon.

— Escorte le prisonnier jusqu'au Frigo, ordonna Fannie à Nelligan. Et remonte vite, le temps presse.

Je me levai presque d'un bond :

— Vous voulez m'isoler et décider de ma vie pendant mon absence ? Mais vous êtes toqués ! Je viens peut-être de vous éviter de finir tous en prison !

Charles me prit par un bras.

— Toi, tu obéis ou tu reçois mon poing sur la gueule !

En une fraction de seconde, mon regard fit le tour de la pièce. L'unique obstacle, entre moi et l'entrée, c'était Charles. Je me libérai de lui d'une saccade et me ruai vers la porte. Ma main saisit la poignée, je tirai le battant, mais je m'arrêtai là, statufié devant la calamité qui m'attendait à l'extérieur.

Jamais je n'avais vu une tempête pareille. On aurait dit que la nature s'était détraquée, qu'elle délirait ! Par-delà la porte, tout n'était que furie, remous, tumulte et froidure. La neige ne tombait pas du ciel, elle dégringolait, sautait, tourbillonnait avant de dégringoler à nouveau et de recommencer à l'infini son manège. Les lamentations du vent, lugubres et terrifiantes, composaient la voix de cette apocalypse glacée.

Mon corps était transi, mes dents s'entrechoquaient. Quelqu'un me prit par les épaules et m'éloigna de l'entrée. On ferma la porte.

Charles et Lilas me retenaient. À mon grand étonnement, Connard leur dit de ne pas me faire de mal.

Je descendis un escalier, flanqué de mes gardiens. On m'obligea à franchir une ouverture. Un battant – large panneau de bois sans poignée ni loquet – claqua dans mon dos.

Je compris aussitôt pourquoi ce lieu avait été baptisé le Frigo : il n'était pas chauffé. Par bonheur, mes geôliers m'avaient laissé mon parka. Autre point positif, l'endroit était éclairé par une ampoule pendant du plafond.

Au total, ma prison était un bric-à-brac d'environ trois mètres carrés, rempli de débris et d'objets inutiles.

Je me rappelai une phrase entendue au cinéma : *Le devoir de tout prisonnier est de chercher à s'évader*. C'était joli, et l'idée obtenait toute mon approbation, surtout en ces circonstances. Mais je n'avais rien d'un héros, et puis je n'étais pas dans un film. Chercher à m'évader, je voulais bien. Il me restait à découvrir comment.

Je m'assis sur le sol et donnai libre cours à mes idées noires.

Je me vis mourir plusieurs fois, de toutes sortes de manières. Je subis des tortures. Je criai, je pleurai, je suppliai. J'appelai mes parents à mon secours. Je remerciai Fannie qui prenait ma défense, amoureuse, enfiévrée, brûlante de passion et de tendresse pour moi.

Que j'étais bête !

Je me levai.

Dans le coin gauche de ma geôle, en haut, une tache blafarde capta mon intérêt.

Un soupirail.

C'étaient deux carreaux dans un cadre de bois, protégés par un grillage du côté extérieur. Pour retrouver ma liberté, je n'avais qu'à briser les vitres, puis à défoncer le treillis. Un jeu d'enfant, qui demanderait à peine quelques minutes. Un héros de cinéma aurait-il hésité ?

Moi, si. Une fois dehors, il y aurait la tempête à affronter. Sans compter que j'ignorais où ce chalet était situé. Des voisins habitaient-ils aux environs ou serais-je condamné à marcher des kilomètres avant de trouver un abri ?

Tergiverser était un luxe, pourtant. Dans la pièce au-dessus, des terroristes soupesaient les arguments pour ou contre mon assassinat.

Est-ce que j'exagérais ? L'espace d'un instant, je mis en doute mon interprétation des événements. Mais ce scrupule n'était qu'indécision de ma part.

Je choisis de m'enfuir.

Je ramassai une vieille couverture que je pliai et appliquai contre une des vitres. Je donnai un premier coup de poing. La couverture étouffait bien le bruit de l'impact, mais je n'avais pas cogné assez fort.

Je frappai de nouveau.

Quand le carreau éclata, la neige et le vent s'engouffrèrent par l'ouverture. Je tendis l'oreille. Rien n'indiquait que mes ennemis avaient entendu quoi que ce soit.

Je cassai la deuxième vitre, puis brisai le montant de bois qui séparait les deux carreaux.

Maintenant, le grillage.

Ses mailles étant très serrées, je ne pouvais même pas glisser mes doigts dans les interstices. Pour le déchirer, il me fallait donc un instrument, pied-de-biche, marteau, barre de fer. Je cherchai en vain. Sauf les skis de fond empilés en désordre dans un recoin, ce capharnaüm ne contenait vraiment que des rebuts.

Je plaquai mes paumes contre le treillis et poussai de toutes mes forces. Les mailles commençaient à s'arracher du cadre lorsqu'une voix, provenant de derrière mon dos, me fit sursauter :

— On dirait que j'arrive à temps !

La porte du Frigo était grande ouverte et la plus belle fille du monde, celle qui avait des cheveux rouges et des yeux gris, se tenait dans l'embrasure.

Toute énergie me quitta.

Non, je refusais que mon bourreau s'appelle Fannie, qu'il ait des tresses de fillette, que son visage soit parsemé de taches de son ! Je rejetais cet exécuteur aux épaules délicates, à la poitrine jolie, aux cuisses fuselées sous le *leggings* noir !

Il me restait assez de jugement pour m'étonner que Fannie soit seule et sans arme. De même, aucun détail de sa physionomie n'annonçait qu'elle se préparait à commettre un meurtre. Son regard, au contraire, était paisible. Elle affichait une sorte de moue qui n'était pas loin du sourire. Dans sa main droite, plutôt qu'un revolver ou qu'un Micro Uzi chargé à bloc, elle serrait la boule de cristal que je lui avais ramenée.

— Tu sembles pressé de partir, ironisat-elle. M'accorderais-tu quand même une petite minute ?

Elle reprit la parole malgré mon silence.

— Charles avait proposé qu'on t'exécute, tu te rappelles ? Je viens t'annoncer le résultat du vote. Deux se sont prononcés pour la proposition, et deux ont voté contre. Tu devines que cela me mettait dans une position très inconfortable, puisque c'était à moi de trancher. Je devais décider de ta vie ou de ta mort, tu comprends ? Est-ce que ça m'amusait ? Non, ça ne m'amusait pas. Est-ce que ça me procurait un sentiment de puissance ? Non. Ça me donnait l'impression d'être sale et dégueulasse.

Subjugué à la fois par la douceur et par la force qui émanaient d'elle, j'écoutais sans dire un mot, sans faire un geste.

— Je me suis prononcée contre ton exécution. Ce n'était pas un choix politique ni stratégique. Ça ne venait pas de ma tête. À présent, je suis soulagée et contente. Sais-tu pourquoi ? Il y a deux raisons. La première, c'est parce que tu auras la vie sauve. La deuxième, c'est parce que mes camarades et moi, on ne deviendra pas des meurtriers. Du moins, pas aujourd'hui.

Elle eut un frisson qui la secoua des pieds à la tête. Ensuite, elle dit :

— Il fait froid, ici. Je sors. Est-ce que tu m'accompagnes ?

13

Nous avions gagné une pièce adjacente, trois fois plus spacieuse que le Frigo, mais à peine moins désordonnée. Une chaufferette électrique d'un modèle ancien y haussait la température à un niveau confortable. Des bruits divers traversaient le plafond : pas précipités, meubles déplacés, objets tombant sur le parquet.

En guise de siège, Fannie avait choisi une caisse de bois. Assis sur une caisse semblable, en face d'elle, je camouflais tant bien que mal mon unique envie, qui était de la dévorer des yeux. Elle avait toujours sa boule de cristal à la main.

C'était la première fois que je me trouvais seul, vraiment seul, en présence de Fannie.

Elle était presque aussi proche de moi que tout à l'heure, sur le canapé. Si proche que j'aurais pu toucher ses cheveux sans avoir à me déplacer. Elle avait une bouche ravissante et des yeux qui brillaient. Je leur résistais de mon mieux avec ce qui me restait de volonté, précisément parce qu'ils étaient irrésistibles et que cela m'effrayait.

En dépit de ma gêne, en dépit du FLQ, de la Section Guillotine et des nombreux doutes qui nous séparaient, je ne souhaitais plus m'enfuir. Ma place, en cet instant, était là, face à elle. J'espérais quelque chose dont la nature m'était inconnue, mais que je supposais très beau, lumineux, incandescent et absolu.

Elle montra les caisses d'armes et de munitions qui nous entouraient.

— Crois-tu que ça me plaît, tout ça ? Penses-tu que je suis fière de moi quand je me regarde dans un miroir ? Penses-tu que mon idéal dans la vie, c'est de diriger une cellule du FLQ, de commettre des cambriolages et de planifier des attentats ?

Je ne m'attendais pas à de tels propos. Que répondre à cela ? En fait, me fallait-il répondre ou laisser Fannie parler ?

— Aussitôt que la tempête sera calmée, reprit-elle, on abandonnera le chalet. Pour toujours. Les autres sont en train d'empaqueter ce qui peut encore servir. Le reste, ils le brûlent. Tout ce que j'espère, c'est qu'on aura le temps de partir avant l'arrivée de la police.

— La police ? répétai-je, plus inquiet que surpris.

Elle baissa les yeux, soudain embarrassée. Puis elle dit, après un silence :

— J'étais si sûre d'avoir raison. J'avais milité dans beaucoup de mouvements, réfléchi à tous les moyens imaginables pour détruire ce système d'exploitation et de servitude. J'en étais arrivée à la conclusion que seule l'action violente pouvait donner des résultats. Le FLQ, je le considérais comme une avant-garde qui servirait de modèle à tout le peuple, qui montrerait aux Québécois le chemin de leur libération.

Elle fit une pause. J'en profitai pour formuler la question que je retenais depuis deux jours :

— Quels étaient vos projets ? Des bombes ? Des enlèvements comme en 1970 ?

Elle hésita à me répondre. Sans doute était-elle encore incertaine de mon intégrité.

— L'Oiseau Rouge n'est pas la seule cellule en activité, me confia-t-elle néanmoins. Je ne te raconterai pas comment le FLQ a été réanimé. Mais il existe d'autres groupes. Nos projets ? Non, je préfère ne rien dire. Cela vaut beaucoup mieux pour toi.

Elle plongea son regard au creux de la boule de cristal.

— On sait donc maintenant que notre cellule est surveillée. Tout à l'heure, Charles a demandé pourquoi les services secrets nous laissaient agir alors qu'ils sont au courant de nos intentions. La réponse est évidente, au fond. Ils nous laissent agir parce que ça les arrange, parce qu'on fait ce qu'ils souhaitent, parce que nos actions font partie de leur plan. Les membres de la cellule Oiseau Rouge sont des marionnettes, dont les services secrets tirent les ficelles. On est manipulés, Jean-Olivier. Manipulés depuis le début.

J'étais stupéfait. Quoique j'aie suivi son raisonnement avec une attention sans faille, il me semblait qu'une partie importante m'avait échappé.

Fannie tenta de dissiper ma confusion :

— Le climat de calme qui règne au Québec nous empêche de voir le baril de poudre dans la pièce d'à-côté. Il suffit pourtant d'une étincelle pour que la mèche s'enflamme. Les Québécois sont bonasses. Ils s'occupent de leurs petites affaires, ils s'amusent, ils font des blagues sur les sujets les plus graves. Ils se croient à l'abri des assauts. Pendant ce temps-là, pas très loin de nous, nos adversaires fourbissent leurs armes. Tu connais la Loi de clarification, votée par le parlement fédéral il y a quelques années ? Si jamais les indépendantistes remportent la victoire lors d'un référendum, le Canada mettra tout en œuvre pour provoquer le chaos et rendre la situation intenable.

Je ne voyais toujours pas très bien ce qu'elle cherchait à m'apprendre. Aussi, je revins à une préoccupation plus simple et plus immédiate :

— Quel rapport cela a-t-il avec toi et tes compagnons ? Quel rapport avec la Section Guillotine ?

Son visage s'assombrit davantage :

— Et si le FLQ servait de prétexte à une démonstration de force de la part des autorités fédérales ? S'il se produisait la même chose qu'en 1970 ? Dans un contexte d'instabilité politique, nos actions pourraient donner lieu à une nouvelle escalade – manipulation de l'opinion publique, lois spéciales, intervention de l'armée – afin d'anéantir une fois pour toutes la tentation de l'indépendance. Voilà pourquoi les services secrets ont infiltré notre cellule, pourquoi ils nous espionnent sans intervenir. Mes camarades et moi, on est convaincus d'agir pour la liberté. Mais en réalité, on n'est rien d'autre que des pions dans un grand jeu de stratégie.

— Tu y crois, alors, à cet agent double ?

À nouveau, elle baissa les yeux sur son porte-bonheur, qu'elle tenait maintenant à deux mains. En soupirant, elle me dit :

— Pour un agent provocateur, il y a mille façons d'influencer un groupe. Cet espion, ça peut être n'importe qui d'entre nous. Mais je ne veux pas connaître son identité. J'en sais déjà assez. J'en sais déjà trop.

Une légère défaillance dans sa voix, un tremblement, me fit deviner l'étendue de sa détresse.

— Le FLQ s'est trompé, dit-elle. Notre violence à nous ne peut que se heurter à une violence plus forte et beaucoup mieux organisée. Du côté du pouvoir, il y a les professionnels. Du côté du peuple, il y a les amateurs comme nous. Les amateurs ! Autrement dit, les rêveurs et les nigauds.

Fannie inclina la tête et ses tresses glissèrent de ses épaules. Elle caressa la boule de verre de ses longs doigts effilés.

— Nos deux repaires sont brûlés, mais s'il n'y avait que ça ! On peut être certains qu'à l'heure actuelle, les services secrets ont un dossier complet sur chacun d'entre nous. Il nous reste un seul choix : celui de disparaître. La cellule Oiseau Rouge est morte, Jean-Olivier. La tuer est la seule façon d'empêcher nos ennemis de s'en servir.

J'eus la certitude qu'elle allait éclater en sanglots.

Depuis un moment, j'étais torturé par un problème vraiment stupide. Fallait-il me borner à écouter Fannie ou devais-je la réconforter par une caresse, une étreinte, un baiser ? Le trouble que j'éprouvais faisait de moi un idiot. L'inexpérience me rendait empoté.

Mais Fannie ne pleura pas. Bien au contraire, un sourire insolite éclaira sa physionomie. Elle souleva la sphère rosâtre à la hauteur de ses yeux.

— C'est mon porte-bonheur, je te l'ai déjà dit. Ma boule de cristal, je la possède depuis quinze ans et sept mois. J'étais toute petite quand je l'ai eue. À cette époque-là, il y avait une émission à la télé, que j'adorais. L'animateur était un magicien. C'était un beau monsieur, grand et mince, très élégant. Il portait toujours un chic costume noir et une espèce de turban en soie. Il avait aussi des moustaches incroyables, longues comme ça, qui pointaient de chaque côté de sa figure. Ce monsieur s'appelait Michel le Magicien. Avec un nom pareil, ça va de soi qu'il faisait des tours de magie durant son émission. Moi, ses tours de magie, j'y croyais dur comme fer. J'étais vraiment une toute petite fille.

Bien sûr, me dis-je. Bien sûr, je l'avais deviné. J'avais deviné que la révolutionnaire, que la terroriste avait jadis été une petite fille. En fin de compte, y avait-il autre chose qui méritait d'être dit au sujet de Fannie ? Autre chose que : c'est une ancienne petite fille ?

— Avant d'accomplir un tour, poursuivit-elle, Michel le Magicien plongeait les doigts dans une poche de son costume. C'est là qu'il gardait en réserve un ingrédient magique : la poudre de perlimpinpin ! Il prenait donc dans sa poche une pincée de la poudre de perlimpinpin, puis il la saupoudrait sur un verre de lait tout à fait ordinaire. Ensuite, il faisait de grands gestes avec sa baguette magique tout en prononçant sa célèbre formule : *Abracadabra ! Qu'est-ce que tu fais là ?* Et quand la caméra nous montrait à nouveau le verre de lait, il s'était métamorphosé en cornet de bonbons ! J'étais si émerveillée que je me mettais à applaudir.

Bercé par la candeur de son récit, à mon tour je m'étais mis à contempler son porte-bonheur.

— Il arrivait aussi que Michel utilise sa boule de cristal. Ah! c'était une grosse boule, brillante, transparente. Michel y voyait des choses extraordinaires que personne d'autre ne pouvait voir. Cette boule de cristal me fascinait tant que je me mourais d'en avoir une pareille. Chaque soir, quand papa rentrait à la maison, je le harcelais pour qu'il m'en achète une. Enfin, un jeudi soir, après son travail, papa a déposé une boîte enrubannée sur mes genoux. J'ai déchiré l'emballage, j'ai ouvert la boîte et j'ai crié de joie. Une boule de cristal! Elle n'était pas semblable à celle de Michel, elle était plus petite et elle ne s'illuminait pas. Elle était même un peu bizarre, avec sa couleur rose et son oiseau rouge à l'intérieur. Mais c'était ma boule de cristal à moi. Les années ont passé et je ne me suis jamais séparée d'elle. Même devenue grande, je n'ai jamais cessé de recourir à elle quand je vivais des moments difficiles. Oui, dans les moments de confusion ou de désespoir, je la regarde et je me concentre sur l'oiseau rouge qui semble prêt à s'envoler. Peu à peu, le vide se fait en moi et les merveilles cachées dans la boule me sont révélées. Il m'arrive souvent d'y trouver la solution à mes problèmes.

Encore aujourd'hui, j'ignore d'où me vint la témérité de lui poser cette question hasardeuse, si pleine de sous-entendus :

— Peux-tu y trouver la solution aux problèmes de quelqu'un d'autre ? Aux miens, par exemple ?

Elle m'observa, surprise et préoccupée, tandis que son sourire achevait de s'effacer. Ensuite, choisissant la ruse, elle plaça la sphère à deux centimètres de son nez.

— Je peux essayer, dit-elle. Laisse-moi me concentrer... Ah ! quelque chose commence à apparaître... Des images de ta vie future... Je vois qu'elle sera très longue, qu'elle durera au moins cent ans ! Longue et remplie de bonheur ! Je vois... je vois des voyages fabuleux dans des contrées magnifiques. Quoi d'autre ? Ah ! oui, je vois des amis fidèles... et aussi une femme douce et belle que tu aimeras à la folie et qui t'aimera à la folie. Bien entendu, vous vous marierez et vous aurez de nombreux...

— Arrête, Fannie ! Je n'aime pas ça !

Nos regards se rencontrèrent. Dans le sien, je lus de la culpabilité et du regret. J'ignore ce qu'elle vit dans le mien, mais elle me demanda pardon en baissant la tête.

La gêne se prolongea entre nous. Je pris conscience du froid qui traversait mon parka. Fannie gardait les yeux sur sa boule de cristal.

À nouveau, ce fut elle qui brisa le silence :

— Tu veux entendre quelque chose de vrai, quelque chose que je n'invente pas ? Aujourd'hui est une de ces journées de confusion et de désespoir. J'aurais besoin de mon porte-bonheur pour me réconforter, pour me montrer de belles choses, pour me donner de l'espoir. Alors je le regarde. Je regarde dedans avec toute ma ferveur... Et je ne vois rien. Rien du tout. Le vide !

J'étais sur le point de rétorquer, mais elle m'arrêta d'un geste.

— Non ! Je t'en prie, tais-toi. Pas de mots creux, pas de phrases raisonnables et sensées. Ça ne me ferait pas le moindre bien en ce moment.

Son regard, son expression, la tension de son corps représentaient un appel au secours.

— J'ai peur, Jean-Olivier, murmura-t-elle.

Tout à coup, mes tergiversations s'évanouirent. Fannie voulait que je la prenne dans mes bras et que je la serre très fort. Une seconde encore et je le ferais.

Une seconde.

Mais des pas retentirent dans l'escalier et Nelligan cria du seuil de la pièce :

— Ils sont là ! La Section Guillotine ! Le chalet est cerné !

14

Le rez-de-chaussée avait pris les allures d'un navire en perdition. Meubles, appareils électriques, menus objets, papiers, tout était sens dessus dessous.

Chacun planté devant une fenêtre, Lilas et Connard guettaient l'extérieur comme des marins épient la mer en furie. Charles, effondré sur une chaise, se tenait la tête à deux mains. Nelligan, affolé, ne quittait plus son chef des yeux.

Fannie et moi étions au centre de la pièce, entre les deux fenêtres qui se faisaient face.

Le crépuscule avait transformé la tempête en un monstrueux cauchemar gris. À travers la neige qui virevoltait, on discernait les phares allumés de deux véhicules tapis de part et d'autre du repaire. Ces véhicules étaient d'une taille respectable, à en juger par leur silhouette que la tourmente dévoilait parfois. Jeeps ? Tout-terrains ? Chenillettes ? Pas des voitures de promenade, en tout cas. Rouler dans de pareilles conditions était impossible sans quatre roues motrices. Et encore.

— Ils viennent d'apparaître, dit Connard.

Fannie hocha la tête. Elle s'adressa à ses camarades avec une imperturbable autorité :

— La situation a évolué beaucoup plus vite qu'on le prévoyait. Selon toute apparence, nous voilà pris au piège. Il est probable que nos ennemis, là dehors, nous enjoindront de sortir. Si on refuse, ils investiront le chalet de force. Quelles sont les options qui s'offrent à nous ?

— Se défendre, proposa Connard. Je n'ai pas envie d'aller en prison. Ici, on a toutes les armes et les munitions qu'il nous faut.

— Es-tu fou ? répliqua Charles en se redressant. Au moindre coup de feu de notre part, ils vont nous exterminer !

— C'est fort possible, admit Fannie. Es-tu prêt à mourir, Connard ?

L'interpellé ne réagit pas.

— On a des autos ! dit Nelligan d'une voix plaintive. Essayons de nous enfuir en auto !

— Avec un demi-mètre de neige au sol ? objecta Fannie. On sera bloqués en deux secondes.

— Sauvons-nous à pied, dans ce cas ! insista le garçon. Moi, je ne veux pas rester ici !

— À pied ou en auto, c'est pareil, trancha Connard. La neige est trop épaisse, on va s'enfoncer.

— Ça voudrait dire qu'on est fichus ? brailla Nelligan.

Après l'irruption de celui-ci au sous-sol, j'avais questionné Fannie sur la localisation du chalet. Elle m'avait fourni des informations suffisantes pour que je puisse intervenir avec utilité dans la discussion.

— J'ai un plan à vous proposer, annonçai-je.

En dépit des regards sceptiques qui convergèrent sur ma personne, je m'expliquai :

— Au sud d'ici, il y a une forêt. Au nord, le village de Saint-Vallier. À l'est et à l'ouest, Berthier-sur-Mer et Saint-Michel. Divisons-nous en trois groupes. Chaque groupe partira dans une direction différente. Si les policiers comptent nous poursuivre, ils devront eux aussi se séparer en trois groupes. Mais ils n'ont que deux véhicules...

Charles me coupa :

— Hé ! Tu n'écoutais pas, tantôt ? As-tu déjà marché dans un demi-mètre de neige ?

— Qui parle de marcher ? Dans le Frigo, il y a assez de skis de fond pour une armée. Avec ça aux pieds, on s'enfoncera beaucoup moins. Si on a un peu de chance, il nous arrivera même de pouvoir glisser.

— Mais le vent, les bourrasques, la tempête ? gémit Nelligan.

— Ce ne sera pas une partie de plaisir, lui répondit Connard, mais ça vaut la peine d'essayer.

— Je propose l'adoption de ce plan, dit Fannie. Quelqu'un est contre ?

Personne ne leva la main. L'anxiété m'interdisait de savourer cette petite victoire contre mes anciens persécuteurs.

▲ ▼ ▲

En un rien de temps, six paires de skis, de bâtons et de bottes passèrent du sous-sol à la salle de séjour. Nous en étions aux derniers préparatifs lorsque Connard déclara en brandissant un fusil automatique :

— En fin de compte, je ne pars pas. Je resterai ici pour vous couvrir. Ça augmentera vos chances de vous échapper.

Fannie piqua une colère :

— Nous couvrir comment, au juste ? En abattant ces types comme des lapins ? Tu te prends pour un cow-boy ou quoi, Connie Haffigan ? Désolée pour toi, mais tu viens avec nous et tu essaies de sauver ta peau !

Lilas arracha le fusil des mains de son camarade.

— D'accord, on n'est pas des cow-boys, s'exclama-t-elle. Mais dans le chargeur de ce bijou, il y a quatre adorables petites balles qui ne demandent qu'à resplendir.

Avant que quiconque puisse la retenir, elle bondit au milieu du salon, épaula le fusil et pressa la détente par deux fois. La baie vitrée éclata en morceaux. L'ex-cadette pivota sur elle-même et tira deux projectiles à travers l'autre fenêtre.

Par les embrasures ainsi créées, on ne voyait à présent que d'épaisses ténèbres. Les tirs de Lilas avaient crevé les phares des véhicules de la police.

— Quatre sur quatre, apprécia Connard. Belle moyenne !

— Chez les cadets, dit Lilas, j'étais la première aux exercices de tir.

Fannie s'interposa :

— Les gamins ont fini de jouer ? Bon ! Connard et Charles, vous allez vers le sud. Lilas et Nelligan, vers l'ouest. Jean-Olivier et moi, on se dirige vers le village. Des questions ?

Aucun des effelquois ne dit un mot. Fannie les dévisagea un à un avant de conclure :

— Agent d'infiltration ou pas, traître ou pas, je vous souhaite tous bonne chance.

Pendant que ses compagnons s'ébranlaient, elle s'assura que son porte-bonheur se trouvait bien dans son manteau. Puis elle s'empara de son équipement et se mit en marche d'un air décidé.

15

Connard avait éteint les lumières du chalet afin de masquer notre sortie aux regards des policiers. Ce fut donc dans une obscurité totale que je me jetai à la suite de Fannie.

Qu'elle m'ait choisi comme coéquipier avait flatté mon amour-propre. Une fois dehors, cependant, mon plan de fuite se révéla si ardu que j'en oubliai bien vite cette faveur.

Davantage que la noirceur, bien plus que le froid et que les bordées de neige, le vent se présenta aussitôt comme le principal obstacle à notre projet : il semblait avoir pour dessein de balayer les vivants de la surface de la terre. Non seulement il ralentissait sinon entravait la marche, mais ses hurlements rendaient impossible toute communication verbale.

Comment s'orienter quand le sens de la vue était presque aboli ? Comment garder le contact avec un coéquipier qu'on ne pouvait ni voir ni entendre ?

Les membres de la cellule s'étaient mis d'accord pour ne pas emporter de torche électrique. La moindre lumière, dans ces circonstances, aurait attiré à coup sûr l'attention de l'ennemi.

J'avais tenté de localiser Fannie à quelques reprises déjà, sans y parvenir. Comme la nuit ne faisait que débuter, il était vain d'espérer une meilleure visibilité de sitôt.

En dépit de tout cela, je reconnus assez vite que mon plan avait du bon.

Avec mon poids réparti sur la longueur des skis, la surface molle me supportait tant bien que mal au lieu de céder à chacun de mes pas. Mieux encore, lorsque les rafales faiblissaient, je parvenais souvent à glisser sur la neige et à augmenter ainsi mon avance. Mais comme le vent soufflait à pleine force la plupart du temps, le gros de l'effort consistait à garder mon équilibre.

Buste incliné, mains serrées autour des bâtons, paupières mi-closes, bouche fermée comme celle d'un nageur, je m'éloignais donc de mon point de départ. Une espèce de boussole intérieure m'assurait que je n'avais pas encore dévié de ma course, que le village de Saint-Vallier se trouvait droit devant, qu'il me suffisait de maintenir le cap pour parvenir à destination.

Soudain, une clarté diffuse fit pâlir les ténèbres qui m'entouraient. Je me dis qu'un des fuyards avait désobéi aux directives et allumé une lampe de poche. Redoutant que cette bêtise nous soit fatale, je rageai en silence contre son auteur supposé.

Je fouillai la tempête du regard afin de localiser la source de la lumière. C'est ainsi que j'aperçus Fannie, à dix mètres environ derrière moi, saine et sauve selon toute apparence. Une quarantaine de mètres au-delà, j'entrevis le repaire que nous avions quitté.

Il me fallut encore un moment pour repérer le point lumineux sur ma gauche. Je dus admettre mon erreur, car cette lumière brillait trop fort pour émaner d'une torche électrique. L'un des véhicules aux phares crevés était-il muni d'un projecteur ? Les policiers avaient-ils appelé du renfort ?

Le point lumineux commença à se déplacer vers l'est. Une seconde lumière s'alluma presque en même temps, provenant celle-là de derrière mon dos.

Je me retournai. Fannie, toujours à la même place, regardait le halo qui se dirigeait vers elle. Il n'y avait aucun doute : nous étions découverts ! Mon oreille capta le bruit d'un moteur et je compris que notre poursuivant était en motoneige.

Fannie se hâta de repartir.

M'étant arrêté en haut d'une dénivellation, je glissai ensuite sur une assez bonne distance. Mais la luminosité ne cessait de croître, et je tentai d'accélérer. Une puissante rafale m'atteignit de plein fouet. Je ne réussis à garder mon aplomb que par miracle.

Fannie n'avait pas encore atteint le sommet de la pente. Curieusement, elle ne bougeait plus, comme si le rayon de lumière l'avait pétrifiée.

L'explication m'apparut, toute simple : elle était empêtrée dans la neige. Je me préparais à remonter pour la secourir quand, après un dernier effort, elle retrouva sa liberté de mouvement.

Glissant toujours, je gagnais du terrain. Fannie, elle, avançait beaucoup moins vite, à cause de sa cuisse blessée sans doute. Sa lenteur n'avait pas échappé à notre poursuivant, car tout indiquait qu'il l'avait choisie pour cible.

Je fis halte à nouveau. La motoneige était sur le point de la rattraper. Le conducteur ralentit, dévia un peu et, du flanc gauche de son véhicule, il frappa Fannie, qui culbuta dans la neige.

Une rage bouillonnante me saisit. Indifférent à mon propre sort, j'escaladai la pente aussi vite que possible. J'arrivai au sommet à l'instant où le policier, descendu de sa machine, se penchait sur la jeune fille inanimée.

Il me tournait le dos, un appareil de communication appuyé sur l'oreille. Je me jetai sur lui, furieusement, sauvagement, mû par la volonté primitive de venger celle que j'aimais.

Mais l'adversaire était costaud. Il se redressa, avec moi pendu à son cou. Il trépigna, s'ébroua, balança les bras. Je tins bon et parvins même à resserrer mon étreinte.

Il projeta un coude en arrière, espérant m'atteindre au visage. Je parai le coup grâce à un mouvement de balancier qui le déséquilibra.

Nous tombâmes tous les deux.

Tout le long de ce corps à corps, mes skis étaient restés en place, ainsi que les bâtons retenus à mes poignets par les dragonnes de cuir. Coincé sous le policier qui se débattait, j'empoignai un bâton par ses extrémités et le pressai contre la pomme d'Adam de mon adversaire.

Celui-ci agrippa mes poignets, serra, tira pour me faire lâcher prise. J'accentuai la pression sur son cou. Il se mit à haleter, à grogner, puis il poussa une sorte de râle.

Je compris alors la nature du combat dans lequel je m'étais engagé.

C'était un match sans merci, un duel à mort. Ignorant ma véritable identité, mon ennemi ne concéderait jamais la victoire. Pour lui, j'appartenais au FLQ et j'avais l'intention de l'éliminer. Toute clémence m'était donc interdite car, à la première occasion, il saisirait son arme et m'abattrait à bout portant.

La panique s'empara de moi.

La rage qui m'avait envahi plus tôt s'était dissipée. Je ne voulais pas que cet homme meure. Je ne voulais pas être un assassin. Mon unique souhait, c'était qu'il nous fiche la paix, qu'il disparaisse, qu'il aille se faire voir ailleurs.

Mais je n'avais pas le choix. Je n'étais pas en train de jouer aux cow-boys avec d'autres bambins. En réalité, je me battais pour sauver ma vie et celle d'une criminelle.

L'étreinte du policier mollit autour de mes poignets. Ses doigts se détachèrent. Ses bras tombèrent de chaque côté de son corps.

Lorsque je retirai le bâton, je crus déposer sur le sol une poupée gigantesque.

Je m'empressai d'enlever mes mitaines et de tâter le poignet de ma victime, à la recherche de ce battement dérisoire qui signifie pourtant la vie. Je ne détectai rien tout d'abord. Puis la pulsation espérée naquit sous mon pouce. Je demeurai ainsi de nombreuses secondes, de nombreuses minutes, afin de m'assurer que ce pouls n'était pas imaginaire, qu'il persistait, qu'il s'entêtait à me prouver que je n'avais tué personne.

Une main se posa sur mon épaule. Debout derrière moi, Fannie me dévisageait avec gravité. Sa physionomie exprimait la question dont j'étais le seul à connaître la réponse, une réponse que je savourais telle une friandise échappée de mon enfance.

Je la rassurai d'un signe de tête, puis, par gestes, je m'informai de son état. En grimaçant, elle toucha sa cuisse blessée et sa hanche que la motoneige avait percutée.

Se sentait-elle capable de reprendre la route ? Elle me répondit par la négative, avant de désigner le véhicule. Devant mon air interrogateur, elle m'apprit qu'elle savait conduire ce genre d'engins.

Contre toute attente, la situation tournait donc à notre avantage. Moins d'un quart d'heure auparavant, nous étions contraints de couvrir trois kilomètres en skis de fond, et ce, dans des conditions exécrables. Voilà maintenant que nous héritions d'un véhicule conçu exprès pour ce type d'expédition.

Nous détachâmes nos skis. Fannie s'installa au volant. Je m'assis derrière elle et passai mes bras autour de sa taille.

16

Dans des conditions météo normales, le moyen usuel d'entrer à Saint-Vallier consiste à emprunter une petite route appelée montée de la Station. Elle s'amorce à la sortie de l'autoroute, file en ligne droite vers l'église du village et aboutit à la grève du fleuve.

Fannie prit ce chemin interdit aux motoneiges. C'était un parcours direct, mais quand même dangereux. Nous risquions, en effet, d'y croiser des voitures ou des camions rendus presque invisibles à cause de la tempête.

J'éprouvai des sentiments bizarres au début du trajet. Le vent, la neige, l'obscurité – tout ce qui m'indisposait un peu plus tôt – m'inspiraient à présent une sorte d'exaltation. La vitesse du véhicule me grisait. Par-dessus tout, le contact de mon corps contre celui de Fannie contribuait à mon ivresse.

Cette bonne humeur était sans doute provoquée par la chute de ma tension nerveuse. La fuite en skis, déjà, avait été ardue. De surcroît, je venais de soutenir un combat farouche, qui avait failli se solder par ma mort ou par celle de mon opposant. Rien d'étonnant à ce que je sois un peu ahuri après ces infortunes.

J'avais l'impression qu'il neigeait moins depuis peu. Le vent lui-même semblait diminuer et, de plus en plus souvent, ses lamentations étaient estompées par le bruit de la motoneige.

L'euphorie me quitta lorsque j'entendis un second moteur. Tournant la tête, j'aperçus la lumière d'un phare, à cinquante mètres environ derrière nous.

J'en informai Fannie, qui accéléra.

L'autre véhicule se rapprochait toujours. Si cela continuait, nous serions rejoints avant même d'arriver à Saint-Vallier.

Abandonnant toute prudence, Fannie lança la motoneige à sa vitesse maximale.

Elle prit à gauche juste avant l'entrée du village, au croisement de la montée et de la route 132. Puis une trouée apparut sur notre droite, par-delà l'accotement, et Fannie s'y engagea. Au même moment, notre poursuivant atteignait l'intersection à son tour.

Nous avions envahi un terrain privé où se dressait une immense maison aux fenêtres éclairées. L'espace d'une seconde, je songeai à demander de l'aide à ses occupants. Mais il me revint à l'esprit que ma compagne était une terroriste et que notre ennemi était un policier. Nous n'avions donc de sympathie à attendre de personne.

Nous contournâmes l'habitation et franchîmes le reste du terrain. Cela nous mena en pleine rue principale, reconnaissable à son bureau de poste, son épicerie, son église.

Je savais que notre course ne pourrait pas s'éterniser, que l'autre type finirait par nous rejoindre même si Fannie parcourait le village dans tous les sens. Un changement de stratégie s'imposait. Comme si elle avait capté ma pensée, la jeune fille éteignit le phare de la motoneige. Tournant à droite, elle reprit la montée de la Station, cap au sud, cette fois.

Bientôt, je n'entendis plus le grondement du second véhicule. Était-il tombé en panne ? Avait-il eu un accident ? Quelle que soit l'explication, se réjouir était prématuré.

Nous ne restâmes pas longtemps sur cette route. Fannie avait décidé de modifier sans cesse notre direction afin de mieux égarer notre poursuivant.

En une succession ininterrompue de manœuvres périlleuses, elle fonça à travers champs, gravit des monticules, débomla des pentes, dérapa sur des surfaces glacées. Bref, ma belle révolutionnaire accomplit toutes les prouesses réalisables par une motoneige. Quant à moi, son négligeable passager, je ressentis toutes les frayeurs propres au garçon timoré que j'étais. En plus, je ne voyais rien. Depuis que nous avions quitté le village, Fannie prenait soin d'éviter les zones éclairées.

Ce circuit démentiel pouvait-il finir autrement ? Après un temps impossible à déterminer, un choc terrible nous ébranla. Je fus éjecté du véhicule et j'atterris brusquement sur un sol dur.

Je redressai la tête, étourdi, désorienté au milieu de la noirceur. À pleins poumons, je hurlai le nom de Fannie. Mais les plaintes du vent, qui avaient retrouvé leur vigueur, étouffèrent mes cris. Je répétai plusieurs fois mes appels, sans plus de résultat.

Dans mon désarroi, j'imaginai Fannie étant tombée sur la tête, souffrant d'une fracture du crâne. Je la vis ensanglantée, brisée, mourante.

Retrouver mon calme et donner un cours utile à mes pensées ne me fut pas facile. Je me résolus tout d'abord à situer l'endroit où j'étais.

J'enlevai mes mitaines et sondai la surface du sol. Très lisse, elle était couverte d'une neige poudreuse et volatile. Je me trouvais, sans contredit, sur une grande plaque de glace.

Toujours en tâtonnant, je constatai que se dressaient autour de moi de nombreux blocs aux formes et aux dimensions inégales. J'en découvris même un dont la hauteur dépassait la mienne.

Je discernai au loin une suite de points lumineux, formant une ligne droite posée sur l'horizon. Ce ne pouvait être que les lumières de l'île d'Orléans. À l'ouest, le faible rayonnement de la ville de Québec remplissait une portion du ciel.

Je compris que notre course s'était achevée sur la grève du Saint-Laurent, où nous avions sans doute percuté un bloc de glace.

Parmi les formes baroques qui m'entouraient, j'en remarquai une que je crus reconnaître. Je me mis à courir.

C'était bien la motoneige. Renversée sur le dos, elle avait perdu ses deux skis, brisés net par la collision. Je scrutai les environs avec anxiété.

Au moment où je commençais à perdre espoir, Fannie m'apparut soudain, sortant de derrière un bloc. Je m'élançai vers elle et la serrai dans mes bras, très fort. La fougue de son étreinte ne fut pas moindre que la mienne.

Ce bonheur se prolongea durant quelques instants.

Je lui demandai, en criant presque, si l'accident avait aggravé sa blessure à la cuisse. Elle secoua la tête, précisant toutefois que la douleur n'avait pas diminué.

Le vent connut alors une accalmie et il nous fut possible de converser sans trop forcer la voix.

— Tu m'as sauvé deux fois la vie, énonça-t-elle. Avant-hier, et puis tout à l'heure quand tu t'es battu.

— Avant-hier, c'étaient mes parents. Moi, je ne pouvais pas faire autre chose que te contempler.

Son regard s'attachait au mien avec une insistance dont la douceur me déroutait. Par esprit de contradiction peut-être, j'eus la certitude qu'elle allait m'annoncer une atrocité.

— Tu te rappelles ce que j'ai fait semblant de voir dans ma boule de cristal ? Ton avenir, ton bonheur, la femme qui t'aimera ?

Elle fut interrompue par une rafale soudaine. En attendant le retour du silence, elle manifesta des signes d'une grande agitation intérieure.

Le vent baissa et elle reprit :

— Ce n'était pas rien qu'une invention. Je veux dire... Cet avenir-là, je te le souhaite, tu comprends ? Si je reste dans ta vie, il ne se réalisera pas. Je suis dangereuse pour toi, Jean-Olivier. Je suis une entrave. Comme je ne peux pas effacer les deux derniers jours, je... je vais disparaître. À tout jamais.

— À tout... jamais ? bredouillai-je, la gorge serrée.

— Toi, tu n'as commis aucun crime. Va au village et trouve de l'aide. Téléphone à tes parents, dis-leur de venir te chercher. Vas-y tout de suite !

Les yeux brûlants de larmes, je secouais la tête.

— Je ne peux pas, Fannie. C'est trop difficile.

— Tu peux le faire ! Fais-le ! Fais-le, puisque tu sais que j'ai raison !

Je me sentais déphasé, inapte, puéril en face de cette fille – de cette femme ! – qui s'avérait à présent si forte, si rationnelle.

Elle prit mes mains entre les siennes. Je n'avais plus le courage de la regarder. Dans ma paume droite, elle déposa le porte-bonheur qui l'accompagnait depuis quinze ans et sept mois.

— Je te confie ma boule de cristal, dit-elle.

— Non, je t'en supplie... Pas ça, Fannie... Pas ça...

— Je veux que tu la gardes. Quoi qu'il m'arrive à partir de maintenant, je veux savoir qu'elle est avec toi.

Elle toucha mes lèvres du bout de ses doigts. Son sourire, vrai ou forcé, marqua mon cœur au fer rouge.

— Adieu, Jean-Olivier. Ne deviens pas adulte trop vite.

Elle m'embrassa sur la joue avant de tourner le dos et de porter ses pas vers Berthier-sur-Mer. Je remarquai qu'elle boitait davantage qu'auparavant.

La neige tombait avec une lenteur irréelle. Le vent se taisait. Je claquais des dents, transi jusqu'à la moelle. Dans un instant, Fannie disparaîtrait, emportée par la nuit et l'écœurante fatalité.

Je criai son nom une dernière fois. Elle m'entendit, silhouette imprécise parmi les blocs de glace, et m'adressa un bref signe de la main.

L'obscurité engloutit mon rêve d'adolescent.

17

Trop dévasté pour accomplir la moindre action, que me serait-il arrivé si mes parents n'avaient pas retrouvé ma piste ?

Mon enlèvement par Connard et Lilas s'était produit aux alentours de midi. Serge et Hélène m'avaient attendu longtemps. Puis vint le soir et, toujours sans nouvelles, ils n'y tinrent plus.

En dépit de la tempête, maman partit à ma recherche. Elle arpenta rues et ruelles du Vieux-Québec, entra dans les boutiques, les restaurants et les cafés, questionna les marchands.

Pour sa part, en fouillant la caravane, papa tomba sur le carnet et les communiqués vierges dissimulés sous mon matelas. L'en-tête aux couleurs du FLQ et le dessin du patriote lui permirent de résoudre en partie le mystère des deux derniers jours.

Le carnet aussi se révéla d'une grande valeur. Il contenait, écrits à la main, une liste de noms, de numéros de téléphone, d'adresses postales ou électroniques. La plupart des indications étaient cryptées, un petit nombre ne l'étaient pas. Présumant qu'elles se rapportaient soit à des membres, soit à des sympathisants du Front, mon père composa l'un après l'autre les numéros utilisables. C'est là que ses talents de détective frappèrent un mur, car ses interlocuteurs finirent tous par lui raccrocher au nez.

Le carnet faisait également mention de la planque, rue des Remparts. Serge s'y rendit, mais trouva la maison déserte. Reprenant sa lecture, il remarqua une note à peine lisible, dans laquelle il reconnut néanmoins le mot *Saint-Vallier*.

La décision de mon père était arrêtée lorsque maman revint bredouille de sa propre expédition. La tempête atteignait alors son paroxysme. Mes parents s'installèrent dans la cabine de conduite et prirent la direction de la rive sud.

Arrivés à Saint-Vallier deux heures plus tard, ils descendirent du véhicule et frappèrent aux portes. Plusieurs personnes leur parlèrent d'une étrange poursuite en motoneige survenue dans le village ainsi qu'aux environs. Une heure plus tôt, on entendait encore le bruit d'un moteur sur la grève.

▲ ▼ ▲

Tandis qu'ils me guidaient jusqu'à la caravane, je balbutiais que Fannie n'était sûrement pas loin, que je voulais la retrouver, qu'il suffisait de marcher le long du fleuve, d'inspecter la rive en direction de Berthier-sur-Mer, de ratisser la région entière s'il le fallait.

— Ressaisis-toi! m'ordonna Serge. Il n'est pas question de rester par ici une seconde de plus. Tu es vraiment chanceux de t'en tirer à si bon compte, je ne sais pas si tu le comprends. Mais la tempête est presque finie, et le coin sera bientôt bourré de flics. Ta jolie rousse va leur échapper parce qu'elle a de l'expérience. Tandis que toi, si tu ne décolles pas d'ici, tu seras accusé de complicité ou pire encore.

J'avais compris.

Désormais, je ne voulais plus que me dissoudre.

▲ ▼ ▲

Je ne mis pas le nez dehors, le lendemain.

À la une des journaux : l'importante opération policière menée durant la nuit, en pleine tempête, dans le petit village de Saint-Vallier-de-Bellechasse. La cible visée était un luxueux chalet, repaire présumé d'une célèbre bande de motards criminalisés. Détail singulier, les agents étaient arrivés après que l'incendie se fut déclaré dans la résidence. Selon un porte-parole de la police, les flammes avaient contraint les occupants à quitter les lieux.

On avait bien tenté de retrouver les fugitifs, mais les mauvaises conditions météorologiques avaient rendu les recherches inefficaces. Aucun suspect n'avait été appréhendé.

Le feu avait détruit le chalet de fond en comble.

Cette opération résultait d'une collaboration exceptionnelle entre la Sûreté du Québec et le Service canadien du renseignement de sécurité.

Je dormis presque tout le jour.

▲ ▼ ▲

En raison des incidents de la veille, maman avait remis à plus tard la préparation de ses grands-pères à la mélasse.

Elle en fit une douzaine cet après-midi-là. À l'heure du souper, elle m'en offrit un, onctueux et brûlant, mais je n'avais pas faim.

Papa, qui épiait mes gestes et mes expressions depuis le matin, s'assit en face de moi. Après un temps, il posa sa grosse main ouverte sur mon jeune poing fermé. Debout au fond de la caravane, Hélène nous observait, les yeux remplis d'amour et d'inquiétude.

Il parla avec une rare délicatesse, comme s'il craignait qu'une trop brusque intonation, qu'un mot mal choisi ne portent un coup fatal à son garçon.

— L'autre fois, quand tu m'as questionné sur le FLQ... j'ai omis de te dire que j'avais été arrêté durant les événements d'Octobre. Moi non plus, je ne méritais pas la prison. Je n'étais pas membre du FLQ, je n'avais commis aucun acte criminel. Mais j'étais un militant, c'est-à-dire un idéaliste qui *combattait le système*, pour employer les mots de l'époque. Je militais sur tous les fronts : les syndicats, les coopératives, les comités de citoyens, les projets autogérés. Tout mon temps libre était consacré aux discussions, aux assemblées, aux manifestations. Le système, je l'ai combattu longtemps. Aussi longtemps qu'a duré ma jeunesse. Aussi longtemps que ma flamme est restée allumée.

Sa main touchant la mienne eut un tressaillement quasi imperceptible. Il poursuivit :

— Le temps est cruel ! Quand on vit dans le but de changer le monde, nos échecs ne peuvent que surpasser nos victoires. Mon premier vrai coup dur, c'est octobre 1970, justement. Les flics qui font irruption chez moi en pleine nuit, l'appartement saccagé, ces interminables journées derrière les barreaux ! Mon deuxième grand coup dur, je l'ai reçu en 1980, le soir du référendum. Et je pense qu'en 1995, ça m'a fait encore plus mal. Mais ces événements-là n'étaient, disons, que la pointe de l'iceberg. Car le plus difficile, je le voyais se répandre de jour en jour autour de moi. Le plus difficile, c'était de voir les gens de mon âge qui reniaient peu à peu les rêves de leur jeunesse, qui baissaient les bras, qui choisissaient de profiter du système au lieu de continuer à le combattre.

Le regard de mon père fixait un point invisible. J'imaginais une sorte de trou dans l'espace-temps, par lequel il voyait défiler ses souvenirs.

— Un jour, je me suis rendu compte que je n'avais plus la force d'encaisser de nouveaux échecs. Ma flamme s'était éteinte. Je n'avais plus assez de ressources, plus assez d'espoir pour la rallumer. Voilà comment je suis devenu l'homme que tu connais, Jean-Olivier. Voilà l'histoire de ton père. Il m'arrive d'avoir honte. Dans ces moments-là, je m'en remets à la vie. Ce n'est jamais nous qui décidons. C'est elle. La vie a décidé que je réparerais des évaporateurs de cabane à sucre. Elle a décidé que j'aurais une compagne merveilleuse. Elle a décidé que tu serais mon fils. Ce n'est vraiment pas si mal, non ? Moi, en tout cas, je la remercie chaque jour pour les décisions qu'elle a prises à mon sujet.

▲ ▼ ▲

Au réveil, j'ouvris l'un de nos ordinateurs. Il m'importait soudain de savoir si Florence m'avait transmis les documents demandés sur la Section Guillotine. J'agissais sans rien cacher, cette fois, puisque mes parents étaient au courant de tout.

Le courriel de mon amie française datait du jour même.

Cher Baroudeur de Nouvelle-France,

J'ai passé la journée d'hier à effectuer des travaux d'excavation juste pour toi. Hélas ! j'ai eu beau fouiller, fouiller, fouiller, le Web ne peut donner que ce qu'il a ! En résumé, à propos de ta Section Guillotine, je n'ai rien extrait de plus que ce que tu avais déjà.

Après cet échec, j'aurais pu employer mes inégalables talents de hacker. J'ai jonglé avec l'idée un bon moment, parce que tu as toujours été chou avec moi. Mais j'ai finalement choisi la prudence, au risque de te froisser.

À mon avis, il est impossible de pénétrer les réseaux des services secrets canadiens sans se faire repérer. Si j'étais découverte, compte tenu du contexte actuel de paranoïa internationale, qui sait dans quelle geôle pourrie on me jetterait ?

Bises.

18

Le calendrier de mon père prévoyait que nous quitterions Québec le surlendemain au plus tard. L'étape suivante de nos pérégrinations était la ville de Cap-Chat, en Gaspésie, six cents kilomètres plus à l'est.

La pensée de ce départ m'assassinait. M'éloigner signifiait abandonner Fannie, tourner de force la page sur un chapitre inachevé de ma vie.

On frappa à la porte du fourgon.

Serge échangea quelques mots avec notre visiteur puis, sourcils froncés, il me fit signe d'approcher. J'eus alors la surprise de reconnaître Connie Haffigan, dit Connard.

— J'ai les flics au cul, me prévint-il. Donc, je serai bref. C'est au sujet de Fannie. Elle a besoin de toi.

— Quoi ? Qu'est-ce que tu dis ?

— Hier, des gens l'ont trouvée sur le bord du fleuve, à Berthier-sur-Mer. Inconsciente. Elle a été transportée en ambulance à l'hôpital. J'ai appris ça dans l'après-midi, par une femme qui m'a téléphoné. Il paraît que Fannie avait mon numéro de cellulaire dans une de ses poches. La femme se disait infirmière, mais je suppose qu'elle était de la police. Elle voulait que je me rende à l'hôpital. Pas question. Ça n'aiderait personne si je me faisais coffrer.

— Où est-elle ? Dans quel hôpital ? Je veux la voir !

— Montmagny. Tu sais où c'est ? La première ville après Berthier-sur-Mer.

Il m'attrapa par le bras de sa poigne que je connaissais trop bien.

— Attends ! Je ne sais pas si c'est vrai, mais... Il semblerait que Fannie soit très mal en point.

▲ ▼ ▲

Il n'y avait aucun policier dans le corridor, ni dans la chambre quand j'y entrai. Papa était descendu boire un café à la cafétéria. Maman n'était pas sortie de l'autocaravane.

Une batterie d'appareils flanquait le lit où elle était couchée, le torse surélevé par une pile d'oreillers blancs.

Mon cerveau enregistra l'image comme l'aurait fait un appareil photo.

La chemise d'hôpital qu'elle portait. La couverture tirée jusqu'à sa taille. Les fils branchés sur son corps. Le tube, relié à son bras, où s'égouttait un liquide transparent.

Le plus affreux, c'était le pansement qui cachait sa chevelure et le contour de son visage.

Je m'approchai sur la pointe des pieds.

Elle était livide. Les courtes mèches qui s'échappaient du pansement avaient le même brun rouge que les feuilles mortes. Ses yeux écarquillés fixaient le mur d'en face. Pas la moindre expression n'animait son visage.

Elle restait pourtant jolie. Cette odieuse preuve de sa vulnérabilité me la rendait même plus belle encore.

— Fannie, murmurai-je. C'est Jean-Olivier.

Mes paroles ne provoquèrent aucune réaction.

— Est-ce que tu as mal, Fannie ?

Rien.

Quelque chose se contracta dans ma poitrine. Ma bouche devint sèche. Des élancements me poignardèrent les yeux.

Sa langue rose et humide reposait inerte sur sa lèvre inférieure, pareille à un tout petit animal venant de naître. De minces filets de bave coulaient de ses commissures.

De l'index, je repoussai doucement sa langue à l'intérieur de sa bouche.

Je pris un papier-mouchoir et épongeai son menton.

Ma main tremblait.

Je la dévisageai avec un zèle désespéré, scrutant la ligne de ses sourcils, dénombrant les étoiles rousses qui parsemaient sa peau, savourant chaque détail de son visage précieux.

Je déposai un baiser sur ses lèvres fermes et chaudes.

— Adieu, mon bel oiseau, lui dis-je à voix haute. Je ne t'oublierai jamais, mon très bel oiseau rouge.

19

Ce fut mon dernier rendez-vous avec Fannie.

Après ma visite, l'infirmière m'expliqua :

— Les examens ne sont pas terminés. Demain, ce sera la tomographie. On saura exactement quels dommages la fracture du crâne a faits à son cerveau.

— Comme est-ce arrivé ?

— Impossible à dire. Un accident, peut-être. Elle a pu glisser et tomber la tête la première sur la glace. Mais, d'après moi, ça ressemble plus à un coup qu'elle aurait reçu. Je dirais même plusieurs coups. La police enquête. Si vous voulez, je peux vous mettre en contact avec l'officier qui...

Je rejoignis mon père à la cafétéria. Nous retrouvâmes ma mère dans la caravane et nous reprîmes la route à destination de Cap-Chat.

▲ ▼ ▲

J'appelais chaque jour à l'hôpital pour avoir de ses nouvelles. Elles n'étaient jamais bonnes. Son état ne faisait que s'aggraver.

Après une semaine, elle entra dans un coma profond. Sa respiration s'arrêta au bout de quelques heures.

Au téléphone, l'infirmière me mentionna la cause de son décès, telle qu'on l'avait consignée dans le dossier : lésions crâniennes dues à une chute accidentelle. Elle m'informa que quelqu'un de la famille, une lointaine cousine, s'occuperait des funérailles. Fannie serait incinérée, précisa-t-elle, et aucune cérémonie religieuse ne soulignerait son départ.

Que pouvais-je faire, sinon pleurer ma peine et mon impuissance ?

Certes, nous aurions pu alerter les médias, raconter ce que nous savions, en particulier sur les circonstances entourant son décès. Mais nous gardâmes le silence... par lâcheté, par prudence, pour laisser l'âme de Fannie reposer en paix, pour éviter des ennuis à ses anciens camarades. En ce qui me concerne, le chagrin m'enlevait toute volonté d'agir.

Je me réjouis aujourd'hui de notre inaction. Nous aurions mené ce combat en pleine lumière et les mains nues, contre un adversaire armé et bien caché dans l'ombre. Les professionnels, n'est-ce pas, sont du côté du pouvoir.

Quelles défaites auraient subies les amateurs que nous étions ?

▲ ▼ ▲

Ce printemps et cet été-là, le calendrier paternel nous entraîna dans la baie des Chaleurs, sur la Côte-Nord et dans le comté de Charlevoix.

Je n'étais pas beau à voir.

Mes journées s'apparentaient à la traversée d'un tunnel interminable, humide, crépusculaire. Serge et Hélène déployèrent des trésors de tendresse à mon égard, mais c'est après une longue errance en solitaire que je trouvai la sortie.

▲ ▼ ▲

L'automne arriva, et mon existence reprit un cours à peu près normal.

Dix mois plus tard, j'obtenais mon diplôme d'études secondaires. Ce parchemin signifiait surtout que le temps était venu de quitter le nid où l'on me dorlotait depuis l'enfance.

La séparation ne fut aisée pour personne.

J'embrassai papa. J'embrassai ma seule et unique vraie mère. Je gravis l'escalier jusqu'à ma nouvelle chambre, située à deux pas du cégep.

En laissant mes parents, c'était aussi à ma vie de bohème que je disais adieu.

▲ ▼ ▲

Rimouski fut une renaissance.

Je sus enfin ce qu'étaient les amitiés *normales*, ni électroniques, ni téléphoniques. J'échangeai mon premier baiser avec une brunette timide, au fond d'une salle déserte, après un cours sur Hubert Aquin, Jacques Ferron et Gaston Miron. Je connus la joie de caresser des corps féminins, ce qui me porta à aimer Fannie davantage, à la rêver encore plus fort.

Moi qui lisais beaucoup, je développai une véritable passion pour la littérature. Aquin, Ferron, Miron et quelques autres devinrent rien de moins que mes modèles et mes inspirateurs.

Leurs mots, leurs espoirs, leurs combats et leurs lubies jetèrent un nouvel éclairage sur mes trois jours vécus avec la fille aux cheveux rouges. Ce chapitre de mon existence perdit ses derniers voiles d'obscurité.

▲ ▼ ▲

J'habite maintenant Québec, avec deux colocataires de l'université.

J'étudie en lettres, bien entendu.

Et j'écris.

Ces gribouillages et ces phrases ratées, ces clichés, ces imprécisions, les niaiseries, les révisions, les réécritures, tout ce travail... pour accoucher d'un premier texte dont je sois un peu satisfait.

Il raconte l'oiseau rouge.

Mon père combattait le système. Fannie conspirait au sein du FLQ. Mon seul combat à moi, mon unique conspiration, c'est la littérature.

▲ ▼ ▲

Je crois que les agents de la Section Guillotine ont fini par attraper Fannie, cette nuit-là, sur la rive glacée du Saint-Laurent. Je crois qu'ils l'ont frappée. Je crois que leurs coups répétés ont provoqué son décès quelques jours plus tard.

Elle m'avait dit que les effelquois étaient des pions dans un grand jeu de stratégie. Je sais aujourd'hui qu'il est fréquent, pour les puissants qui jouent à la politique ou à la guerre, de sacrifier leurs pions devenus inutiles. À plus forte raison lorsque ces pions s'avèrent encombrants ou dangereux.

Longtemps, je me suis demandé lequel de ses camarades était l'agent d'infiltration. Charles ? Lilas ? Connard ? Nelligan ? Elle préférait ne pas savoir. J'ai cessé, moi aussi, de me questionner à ce sujet.

▲ ▼ ▲

Malgré les années écoulées, j'ai donc tenu ma promesse.

Je n'ai pas oublié mon très bel oiseau rouge.

Le mérite ne m'en revient même pas. C'est Fannie la responsable. Quoi que je fasse, quoi qu'il m'arrive, la marque gravée sur mon cœur reste vive et cuisante.

Dans mes moments de doute ou de confusion, je retire la boule de cristal de son écrin.

Je la dépose devant moi, sur le bureau ou sur la table. J'y plonge les yeux.

Si je regarde assez longtemps, avec assez d'innocence, avec assez d'amour, l'oiseau rouge ouvre grand ses ailes pour m'accueillir. Fannie est avec lui, assise sur son dos comme une amazone, et je ne résiste pas au sourire qu'elle m'adresse.

Je chevauche à mon tour le Pégase au long bec. Les bras de mon aimée se glissent autour de ma taille.

Alors, nous nous envolons vers un pays des merveilles, un royaume des Mille et Une Nuits, là où n'existent aucun Micro Uzi, aucun FLQ, aucune Section Guillotine, aucun système à combattre et aucun monde à changer.

Fiches d'exploitation pédagogique

Vous pouvez vous les procurer sur notre site Internet à la section jeunesse / matériel pédagogique.
www.quebec-amerique.com